JN075512

Q&A
相続・遺言・成年後見・家族信託
みんなが知りたい100のこと

税理士・行政書士
徐　瑛義

弁護士
早川 和孝

司法書士
矢部 祥太郎

FSC 金融ブックス

はじめに

少子高齢化という問題が、日本国の深刻な社会問題として取り上げられてから、すでにかなりの時が経ちました。『令和元年版高齢社会白書』（内閣府）によれば、いわゆる団塊の世代が75歳以上となる2025年（令和7年）には、高齢者の数はおよそ3,677万人に達すると見込まれています。その後も高齢化率は上昇を続け、総人口に占める75歳以上人口の割合は、2065年（令和47年）には25.5%となり、約3.9人に1人が75歳以上の高齢者となると推計されています。

高齢者が増えるということは、その財産に関する問題が増えるということです。「家族が困らないように財産を残してあげたい」「相続税がどれほどの金額になるのかを知りたい」「相続人が揉めないように遺言書を作りたい」「認知症になった場合は信頼できる誰かに財産管理を頼みたい」などなど、高齢者にとっての財産に関する悩みや不安は尽きることがありません。

反対に、「相続税はいくらかかるのだろう」「父は遺言書を残してくれているのだろうか」「老母がボケてしまったらどうしよう」など、先の高齢者の悩みや不安は、同時に相続人たる配偶者や子ども達の悩みや不安に直結します。

財産の多寡に関わらず、相続は誰にでも発生する当たり前のことですが、相続に関する知識が無く、実際に相続が発生してから慌ててしまう、という方々も少なくありません。また、相続人にとって相続は高額な財産入手のビッグチャンスでもあり、相続に絡む激しい骨肉 の争い、すなわち「争族」も後を絶ちません。さらに、「家族旅行の途中から突然認知症が始まった」などという話はよく聞くことでしょう。

このような家族の老後や財産に関する悩みや不安について、相続や遺言に関しては民法相続編や相続税法に規定があり、また、認知症への対応としては成年後見や家族信託などの制度・手法がありますが、これらの法律や制度・手法をきちんと理解することは一般の方々にとっては非常に難解であろうと思われます。

そこで本書は、弁護士、税理士、行政書士、司法書士である著者一同が、それぞれの長年の相談歴の中から、家族みんなが抱える相続などの不安や悩みに関して、読者にとってためになると考えられる事例を思い起こし、アレンジして収録しました。具体的には、「相続」「遺言」「成年後見」「家族信託」の４章構成とし、今皆様が知りたいと思っているであろう老後の不安や財産に関する悩みとその解決策について、Ｑ＆Ａ方式で分かりやすく解説しました。

世の中には相続に関連する書籍が数多く存在しますが、本書は実際の相談事例を元に複数の専門家がチームを組んで横断的に書かれたものであり、さらに平易に読めるようＱ＆Ａ方式で解説しているという点で、このような類書はあまり見当たらず、必ずや皆様のお役に立てると確信しています。本書によって皆様の悩みや不安が少しでも解消されれば幸いです。

最後に、本書の執筆にあたっての多大なるご協力を、社会保険労務士・行政書士の髙本博雄氏にいただきました。ここに記し厚く謝意を表します。

令和３年６月

〔著者〕　徐　瑛義
早川和孝
矢部祥太郎

もくじ

第2章　遺言

※「家族信託」は一般社団法人家族信託普及協会の登録商標です。本書は同協会からの許諾を得て用語を使用しております。

Question

01

相続手続きの流れについて知りたい

高齢の父が入院しました。相続が発生したら、どのような手続きが必要でしょうか。

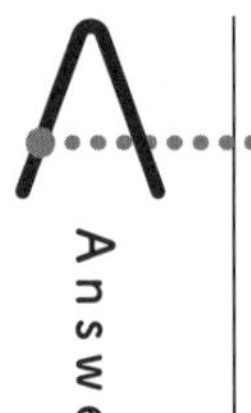

Answer

相続人が行うべき代表的な手続きは図表1のとおりです。

［図表 1］相続開始後の主な諸手続き

期間	手続き
7日以内	死亡届の提出
3カ月以内	社会保険の資格喪失届・年金の受給停止 生命保険・損害保険の保険金請求 相続財産の調査・相続人の確定 相続放棄・限定承認
4カ月以内	所得税の申告・納付
10カ月以内	相続財産（遺産・債務）の調査・把握 遺産分割協議 相続税の申告・納付 預貯金・有価証券などの換金・名義変更 不動産の名義変更
1年以内	遺留分減殺請求権の行使

相続とは

「相続」というと、「財産がないから関係ない」とか「金持ちのものでしょ」とか言われますが、財産の有無や金額の大小には関係なく、人が亡くなると相続が問題となります。

相続とは、人の死亡により、一定の人間がその死者の財産上の権利義務を一括して受け継ぐものです。相続する財産は、不動産や預貯金等のプラスの財産（積極財産）だけでなく、借金や保証債務等のマイナスの財産（消極財産）も含みます。例えば、多額の負債を抱えた人が死亡すると、その負債が相続で子どもに引き継がれるという事態が生じることもあります。

この相続の対象となる財産を「相続財産」、相続される死亡者を「被相続人」、相続により財産を受け継ぐ人を「相続人」といいます。

相続に関するルールは民法第882条以下に定められ、このルールを「相続法」と呼ぶこともあります。平成30年に相続法を中心とする改正が行われ、平成31年から段階的に施行されているので注意が必要です。

相続手続きの流れ

(1) 7日以内にすること

家族が死亡した場合、通夜・葬儀の手配や親類等への連絡に追われる方が多いと思いますが、これと並行して、7日以内に死亡届を提出する必要があります。死亡届は、市区町村長に死亡診断書を添えて提出します。死亡地、住所地、本籍地いずれに届けることも可能であるほか、役所では休日や夜間でも受け付けてくれます。

なお、死亡診断書は、埋葬許可書の申請や生命保険金の請求、遺族年金の請求、有価証券の名義書換えなどに必要となることがあります。発行する枚数に応じた文書料が発生するのが通常ですが、各種の手続きに備えて複数取得しておくか、最低でもコピーを残しておくとよいでしょう。

多くの場合、葬祭会社が代行してくれます（代行のための委任状が必要）。死亡届を提出しないと、火葬に必要な「火葬許可証」が発行されないので、実際には死亡当日か翌日には提出することになります。そのため、役所では休日や夜間でも受け付けています。

(2) 3カ月以内にすること

次に、保険、年金請求の手続きを行わなければなりません。

また、相続人が誰かを確定させるため、亡くなった方の誕生から死亡までの戸籍謄本類を全て調査する必要があります。遠方の役所の場合、郵便局の定額小為替を同封し、郵便で戸籍謄本類を取り寄せることも可能です。

被相続人の借金等を負担しないために相続放棄・限定承認といった手続きを取る必要があります。この相続放棄・限定承認は、自分が相続人になったことを知った日から3カ月以内に行わなければなりません。

(3) 4カ月目以降にすること

税金の申告は、被相続人のその年の所得に関する「準確定申告」を4カ月以内に、また相続税を支払う場合は「相続税の申告・納付」を10カ月以内に行います。

その他、相続人間での遺産分割のために、相続財産を把握する必要があります。預貯金や不動産はもちろん、車や有価証券、ゴルフ会員権や借入金等の債務も含めて調査します。

被相続人と疎遠だった場合には、相続財産の把握に苦労をすることもありますが、被相続人宛に届く郵便物等をヒントに調査をすることで少しでも漏れを防ぐことができます。

また、相続人と相続財産が確定した後、遺産分割協議を行いますが、協議は相続人全員で行う必要になります。そして、協議が成立するとその内容に基づいて、各相続財産について、換金・名義変更等を行います。

[図表 2] 相談先の専門家の例

相談内容	専門家
遺産分割協議書	行政書士
相続登記	司法書士
相続税の申告	税理士
紛争解決	弁護士等

Check

葬儀は葬祭会社が執り行ってくれますが、その後に相続人が行うべき手続きが数多くあります。必要に応じ、相続等を支援するNPO法人や各種の法律専門家に相談することでより良い整理ができるでしょう。

Question

02

相続人とはどのような人を指すのですか

相続人とはどのような人のことを指すのですか。

Answer

相続が発生したとき、誰が相続人となるのかは民法で決められています。この民法で定められている相続人を「法定相続人」といいます。

法定相続人

民法第890条には、被相続人の配偶者（妻・夫）が常に相続人になると規定されています。被相続人が独身であった場合や、既婚ではあったが配偶者が先に死亡していた場合を除いて、配偶者が必ず相続人になります。

また、配偶者以外にも、①子、②直系尊属（父母・祖父母）、③兄弟姉妹がいる場合には、この順番で配偶者とともに相続人になります。

配偶者がいない場合には、上記の順番で相続人となります。

日本の民法では6親等以内の血族や配偶者等を「親族」と定義していますが、この親族の範囲と法定相続人の範囲を混同してしまう例がたまにありますのでご注意ください。

さらに、子が被相続人よりも先に亡くなっていた場合には子の子（被相続人から見ると孫）が、兄弟姉妹が被相続人よりも先に亡くなっていた場合には兄弟姉妹の子（被相続人から見るとおい・めい）が相続人となり、このような相続を「代襲相続」といいます（Q05参照）。

［図表 3］法定相続人の範囲と順位

配偶者		常に相続人となります。 法律上の夫または妻に限り、内縁の夫や妻は相続人となりません。
血族	【第 1 順位】 子（孫）	実子、養子、嫡出子、非嫡出子の区別なく相続人となります。 他家に普通養子として出した子も相続人となります。この場合、実親と養親両方の相続人となります。 胎児も死産の場合を除き相続人です。 義理の子（婿・嫁）、配偶者の連れ子や他家に特別養子として出した子は相続人となりません。 被相続人よりも先に子がなくなっていた場合には、その子が相続人となります（代襲相続）。
	【第 2 順位】 父母（祖父母）	実父母、養父母の区別なく相続人となります。 義理の父母（舅・姑）は相続人となりません。
	【第 3 順位】 兄弟姉妹 （おい・めい）	全血兄弟姉妹（父母の双方が同じ兄弟姉妹）、半血兄弟姉妹（父母の一方のみが同じ兄弟姉妹）ともに相続人となります。 被相続人よりも先に兄弟姉妹がなくなっていた場合には、その子（おい・めい）が相続人となります（代襲相続）。

※相続人となるはずの者（推定相続人）でも相続人になれない場合があります（Q03、Q04 参照）。

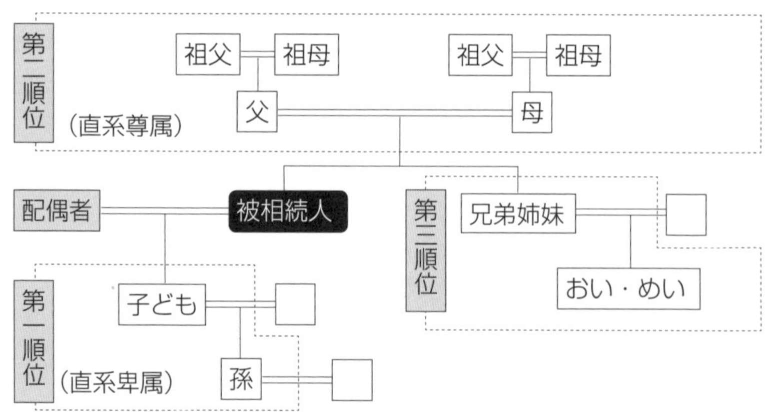

法定相続分とは

民法では、法定相続人が引き継ぐ相続財産の割合についても規定しています。この割合を「法定相続分」といい、下表のとおり、法定相続人の組合せによって場合分けがされています。

[図表4] 法定相続分一覧

法定相続人の組合せ	法定相続分
配偶者のみ	全部
子（または孫）のみ	全部（人数により均分）
直系尊属（父母または祖父母）のみ	全部（人数により均分）
兄弟姉妹（またはおい・めいのみ）	全部（人数により均分）
配偶者と子（または孫）	配偶者……1/2 子（または孫） ………1/2（人数により均分）
配偶者と直系尊属	配偶者……2/3 直系尊属 ………1/3（人数により均分）
配偶者と兄弟姉妹 （またはおい・めい）	配偶者……3/4 兄弟姉妹（またはおい・めい） ………1/4（人数により均分）

※子、直系尊属、兄弟姉妹について同順位の相続人が複数いる場合は、相続分を均等に人数で割ります。

※実子と養子、実父母と養父母の相続分は同じです。

※半血兄弟姉妹（父または母の一方だけを同じくする兄弟姉妹）は、全血兄弟姉妹（父母を同じくする兄弟姉妹）の相続分の1/2となります。

Check

相続人間の協議がまとまらない場合、調停・審判により解決を図りますが、その際にも法定相続分が基準となります。

また、遺留分の計算がなされる場合にも法定相続分が計算の根拠となってきます。

相続の実務で法定相続分が持つ意味は大きく、これと異なる相続を希望

する場合には遺言を残す必要が出てきます。

なお、法定相続人の範囲を確認するには被相続人の出生までさかのぼって戸籍謄本類を集める必要があります。戸籍謄本類の調査を通じて、家族も知らなかった相続人の存在が判明するといったこともありますので、戸籍謄本類の調査は非常に重要な作業となります。

Question

03

子どもであれば必ず親の遺産を相続できますか

子ども（法定相続人）であれば、必ず親の遺産を相続できますか。

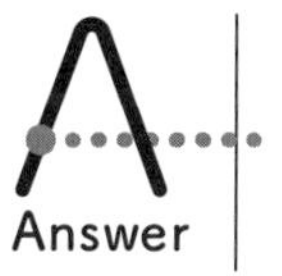

相続人になるはずの者でも、民法 891 条が定める事由がある場合は、相続人の資格がなくなります。

相続欠格

相続人の資格がなくなることを「相続欠格」といい、この相続欠格となる事由のことを「相続欠格事由」といいます。

たとえば、被相続人である親を殺してしまった子どもは、殺人の刑事罰を科されるほか､この相続欠格の制度により相続権を失うことになります。

相続権を失うだけでなく遺留分という相続人としての最低限の保障も認められないことになります。

相続欠格と類似の制度として「相続廃除」がありますが、相続欠格では欠格事由があれば当然に相続権を失うのに対し、相続廃除では家庭裁判所への申立てなどが必要となります。

相続欠格事由

民法 891 条が定める欠格事由は以下のとおりです。

①被相続人や自分より先の順位や同順位の相続人を殺したり殺そうとし

たりし、刑に処せられた者

②被相続人が殺されたことを知っていながら、犯人を告訴しなかった者

③被相続人をだましたり脅したりして、被相続人が遺言したり、変更することを妨害した者

④被相続人をだましたり脅したりして、被相続人に遺言させたり、遺言を取り消しさせたり、変更させたりした者

⑤被相続人の遺言書を故意に偽造、変造、破棄、隠匿した者

ちなみに、遺言書の存在を知りながら、これを隠して遺産分割をした者がいる場合、⑤の遺言書を隠匿した者に当たるかが問題となります。

Check

被相続人の意思で欠格者を許して相続資格を回復させることができるかどうか、学説で争われています。財産の承継だけに限られる現在の相続では、これを認めてよいであろうという積極説が有力であり、実務でも相続資格の回復の余地を認めた裁判所の判断があります。

Question

04

息子に財産を渡さずに済む方法はありますか

引きこもり状態の息子の家庭内暴力に耐えられません。私の死後に、この息子に財産を渡したいという気持ちになりません。息子に財産を渡さずに済む方法はあるのでしょうか。

民法第892条には、将来に相続人となる者（推定相続人）が、被相続人に対して①虐待、②重大な侮辱、③その他の著しい非行といった行為に及んでいた場合に、その推定相続人の相続権をはく奪する「相続廃除」（「相続人廃除」ともいいます）の制度が定められています。

相続廃除

相続廃除は、相続人に最低保障として認められている遺留分もはく奪するもので、非常に強い効力があるといえます。

ただし、廃除された推定相続人が先に亡くなり、その子が代襲相続をすることは認められています。たとえば、相談者のケースで息子に子ども（相談者から見ると孫）がいたとして、息子が相続廃除された後で相談者よりも先に死亡した場合、その子どもは代襲相続人として相談者の財産を相続できます。何も非がない代襲相続人の立場を保護して、その生活保障を図る必要があるからです。

また、相続廃除とよく似た制度として、推定相続人により重大な非行がある場合に、何も手続きをしないで当然にその相続権が失われる「相続欠格」があります（Q 03参照）。

２つの方法（家庭裁判所への廃除請求と遺言による廃除）

相続廃除をするには２つの方法があります。

１つ目は家庭裁判所に対する廃除請求の申立てです。申立てができるのは被相続人本人に限られ、他の推定相続人が申立てをすることはできません。申立てを受けた家庭裁判所は、審判という手続きで、各種の事情を考慮して、相続廃除が妥当かどうかを判断します。

もっとも、相続廃除の効力は非常に強いため、家庭裁判所の判断は慎重です。虐待や重大な侮辱を裏付ける証拠（虐待の様子を撮影した映像や診断書など）をきちんと集めておく必要があるでしょう。

２つ目は遺言による廃除です。遺言の中で推定相続人の廃除の意思表示をしておくと、遺言の効力が生じた段階で、遺言の内容を確実に実現させる立場にある「遺言執行者」が家庭裁判所に相続廃除を求める申立てをします。家庭裁判所が廃除を認める審判を出し、これが確定した場合には、廃除された相続人はさかのぼって相続権を失います。

生前に相続人廃除をした場合には、対象となった推定相続人との間で感情の対立などが激しくなることも予想されます。信頼して事後を託せる人がいる場合には、遺言による廃除を検討してもよいのかもしれません。

Check

司法統計によると、令和元年中に終了した推定相続人からの廃除・その取消しに関する事件は208件あり、そのうち申立てが認められたのはわずかに30件にとどまっています。

相続権をはく奪するという相続廃除の効力は強い反面、相続廃除が認められるハードルは非常に高いのが実情です。

相続廃除を希望する場合には、入念な裏付資料の収集が必要不可欠と思われます。

Question

05

相続人が死亡した際、代わりの相続人について知りたい

先月、夫が死亡しました。子どもは３人いましたが長男が３年前に他界し、その子どもが２人います。この場合、長男の子ども２人には、相続権はあるのでしょうか。また、長男の嫁にも相続権はあるのでしょうか。

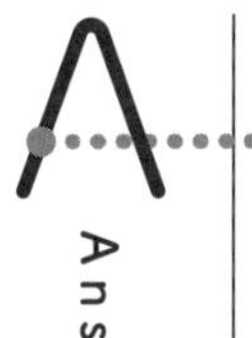

亡くなった長男の子どもにも相続権はあります。相続分は、妻 1/2、２人の子どもはそれぞれ 1/6、亡長男の子ども２人はそれぞれ 1/12 となります。

これに対して、亡長男の妻は代襲相続人ではないため相続権はないことになります。

被相続人の子どもが、相続開始時に死亡している場合は、その死亡した子どもの子ども（孫）が、相続人たる子どもの相続分を相続します。これを、代襲相続といいます。

代襲相続が認められる人

代襲相続が認められるのは、次のケースです。

①被相続人の子、孫等の直系卑属

②兄弟姉妹の子

③被廃除者の直系卑属

④欠格事由該当者の直系卑属

配偶者、直系尊属には、代襲相続は認められていません。

相続人が相続を放棄した場合も、その者の子に代襲相続は認められません。

再代襲が認められる人は

被相続人の子が死亡している場合、被相続人の孫が代襲相続しますが、さらにその孫も死亡していればその孫の子（被相続人のひ孫）が、代襲相続することになります。これを「再代襲相続」といいます。

なお、兄弟姉妹の場合の代襲相続は、兄弟姉妹の子（被相続人のおい、めい）の一代限りで、再代襲相続は認められていません。つまり、被相続人のおい・めいまでは代襲相続人として相続をする可能性がありますが、おい・めいの子までは代襲相続は認められません。これは、故人との関係があまりに遠い親族がいわゆる「笑う相続人」として相続することがないように配慮されたといわれています。

代襲相続の場合の相続分はどうなるか

代襲相続の場合の相続分は、相続人であった者が、生きていたら受けたであろう相続分を代襲相続人が引き継ぎます。

Check

相続人である子が被相続人の親より先に死亡していた場合の相続権は、直系卑属に限り孫・ひ孫と受け継がれます。

問題なのは、亡長男の妻です。被相続人の終末にどんなに尽くしてあげたとしても、相続権は認められていません。このような不合理な状況から、公平な結論を導くための方法として、平成30年改正相続法により、相続人でない者の特別の寄与の制度が創設されました。

また、遺言で遺贈をすることで亡長男の妻の貢献に配慮することも可能です。

Question

06

連れ子に相続させたい

前夫（10 年前に死亡）との子ども（2 人）を連れて再婚しました。現在は、私たち夫婦の子どもと連れ子 2 人の 5 人家族です。万一、夫が死亡した場合、私の連れ子 2 人は夫の遺産を相続することができるでしょうか。

Answer

夫の相続人はあなたと夫との間の子（1 人）の 2 人であり、その相続分は妻 1/2、夫との間の子 1/2 となります。連れ子には全く相続権がありません。

再婚した夫が、あなたの連れ子との間で養子縁組をすれば、連れ子も縁組の時点から養親の嫡出子となります。

この場合は、夫が死亡すればあなたの連れ子も夫の相続人となり、相続分は妻 1/2、子（連れ子も含む）3 人はそれぞれ 1/6 となります。

民法では、被相続人の子は第１順位の相続人であると定めています。しかし、前夫との間の子を連れて再婚した場合、その子は再婚した夫の子とはなりません。法律上、再婚しても、連れ子は夫との間には親子関係は生じないからです。したがって、連れ子は、母が再婚した夫の遺産を相続できません。

ただし、夫と連れ子の間で養子縁組をすれば、法律上の親子関係が生じるため、連れ子も夫の遺産を相続できます。

ちなみに、相続税の計算上被相続人に実子がいる場合には、被相続人の養子のうち１人のみ法定相続人の数に含めることができます。節税対策として、多数の者との間で養子縁組をすることで基礎控除を増やすことが可能になってしまうと、課税負担の公平が損なわれるからです。

☛ Check

質問のケースでは、連れ子も今の夫との子も、あなたにとっては実の子です。将来とも３人の兄弟が仲良く暮らすためには、夫の遺産を平等に相続させることが要となります。連れ子の養子縁組を、夫婦間で検討されることをお勧めします。

ただし、前夫や前夫の父（子にとっては祖父）に財産がある場合、連れ子は養親である夫に加えてこの前夫側の財産も相続をすることになります。連れ子と現在の夫の子の間で、不均衡が生じないような配慮も必要と思われます。

Question

07

養子と配偶者の兄弟の相続について知りたい

私たち夫婦には子どもがおらず、このたび私の妹の子と養子縁組しました。夫の両親はすでに他界し、弟が1人います。万一、夫が死亡した場合、夫の弟に相続権はありますか。また、養子の相続はどうなりますか。

普通養子縁組（後述）の場合と思われますが、養子は、縁組の日から養親の嫡出子としての身分を取得し、養親が死亡したときには相続権があります。

妻と養子が相続人となり、夫の弟には相続権はありません。相続分は、妻1/2、養子1/2となります。

生物学的に親子関係のない者の間に法律的な親子関係をつくりだす制度を「養子制度」といいます。また、養子縁組により親となる者を「養親」、子となる者を「養子」といいます。一方、生物学的な親子をそれぞれ「実親」、「実子」といいます。

民法では、「普通養子縁組」と「特別養子縁組」という2種類の制度が設けられています。

普通養子縁組は、家の跡取りを設けるためなどに以前から広く行われてきました。これに対し、特別養子縁組は、何らかの事情で実際の親が子を養育できない場合などに、養子縁組により現実の親子と同様の親子関係を成立させる制度で、主として子どもの福祉を目的とした制度です。

普通養子縁組と特別養子縁組の違い

相続の実務上は、養子と実親との間の親子関係が存続するかどうかという違いが特に重要になります。

普通養子縁組の場合には、養子は養親と実親の双方との関係で相続人となるのに対し、特別養子縁組の場合には、養子は養親との関係でのみ相続人となり、実親から相続をすることはできません。

[図表 5] 普通養子縁組と特別養子縁組

	普通養子縁組	特別養子縁組
養親の要件	成年（婚姻している未成年も可能） 単身者も可能	婚姻している夫婦の双方（夫婦共同縁組） 夫婦ともに成年で、そのうち一方は 25 歳以上
養子の年齢要件	年齢制限なし	原則として 15 歳まで
縁組の手続・要件	当事者の合意によって成立（例外として一定の場合には家庭裁判所の許可が必要）	家庭裁判所の審判
養子と実親との 親子関係	実親との親子関係も存続（養子は実親と養親の双方の相続人となる）	実親との親子関係は消滅 （養子は実親が死亡しても相続人とならない）
離縁	原則として当事者の合意で可能	原則として不可能
戸籍の記載	父母欄には実父母と養父母の双方が記載される 続柄は「養子」ないしは「養女」 身分事項欄には「養子縁組」と記載	父母欄には養父母のみが記載される 続柄は「長男」、「長女」、「二男」、「二女」等と実子と同じ 身分事項欄には「民法 817 条の 2」とのみ記載

養子の数

民法では、養子の数に原則として制限がありません。

これに対して、相続税法では、控除を受けられる法定相続人の数に算入される養子の数に次の制限を設けています。これは、むやみに養子の数を増やすことで課税負担の公平が損なわれることを防ぐ目的からです。

①被相続人に実子（代襲相続人も含む）がいる場合には、被相続人の養子のうち１人のみ法定相続人の数に含めることができます。

②被相続人に実子がいない場合には、被相続人の養子のうち２人まで法定相続人の数に含めることができます。

Check

民法と税法との間で養子の取扱いに違いがある点には注意が必要です。民法は私人間の権利関係の整理など主たる目的としているのに対し、税法では国民に公平な税負担を課すことを目的としていることによります。

また、養子が結婚をしている場合を除き、養子の名字（氏）が養親と同じものに変わることから、実際の生活の場面では、金融機関・公共関係・職場・学校などでは氏名の変更手続きが必要になることにも注意が必要です。

相続人がいないと財産はどうなりますか

知人は、事情があって独身を通し１人で生活しています。知人には、両親もすでになく、兄弟姉妹やその他の親族も一切いないとのことです。この場合、知人が死亡したとき、知人の財産は、誰に相続されるのでしょうか。

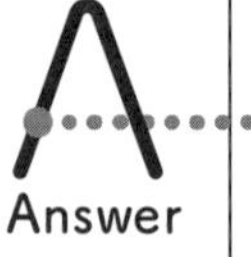

あなたの知人は独身で、配偶者、子、兄弟姉妹はおらず、両親は他界しているとのことですので、相続人不存在と推定され、非嫡出子から死後認知の請求がない限り相続人は存在しないことになります。

被相続人が死亡した時点で、被相続人の相続人がいるかいないか不明の場合があります。この場合、「相続人不存在」として、残された相続財産は「相続財産法人」と扱われ、家庭裁判所が「相続財産管理人」を選任します。

たとえば、被相続人の戸籍謄本を調査した限り、被相続人の配偶者、直系尊属（父母、祖父母等）、直系卑属（子、孫等）、兄弟姉妹とその子どもがいないときは、相続人不存在であると推定されます。

ただし、戸籍謄本に記載されていない婚姻外の子（非嫡出子）がいる場合には、その子は被相続人の相続の開始後３年間は認知の請求ができます（死後認知）。具体的には、家庭裁判所に死後認知を求める訴えを提起し、訴えが認められると、婚姻外の子は相続人となります。

相続人不存在の場合の、相続財産の取扱い

①利害関係人または検察官が家庭裁判所に相続財産管理人選任の申立て

②家庭裁判所による相続財産管理人の選任及びその公告（官報等、2カ月）

③債権者、受遺者に対する請求申出の公告（2カ月以上）

④相続財産管理人または、検察官による相続人捜索の公告請求

⑤家庭裁判所による相続人捜索の公告（官報掲載等、6カ月以上）

⑥相続人不存在の確定

⑦特別縁故者（内縁の妻、同居親族、看護師等）からの相続財産分与の申立て

⑧特別縁故者の申立てに基づく家庭裁判所による相続財産の分与

⑨残存相続財産の国庫帰属と引渡し

以上の①から⑨の流れで、相続人不存在の場合の相続財産処分の手続きが進められます。

相続財産管理人は管理している相続財産のうち不動産や株券については所轄の財務局長へ、金銭債権、現金その他の動産は家庭裁判所へそれぞれ引き継ぎます。

質問のケースでも、相続人がいないので、家庭裁判所が選任した相続財産管理人が上記の相続財産の管理手続きを執行します。最後に財産が残れば、その分は国庫に帰属します。

また、質問者の方が、知人の療養看護をしていたなど特別の寄与があったといえる場合には、⑦と⑧の特別縁故者としての財産分与が家庭裁判所の判断により認められることもありえます。

Check

質問のケースのような場合のほか、実務では、被相続人が多額の債務を負っていることから、すべての相続人が「相続放棄」をし、結果的に相続人がいなくなってしまうケースもあります。その場合、残された不動産に抵当権を設定している債権者などが、抵当権を行使するために相続財産管理人の選任を申し立てる例がよくみられます。

Question

09

内縁の妻は遺族年金を受給できますか

夫が先月死亡しました。私は、事情があって婚姻届を出しておりませんが、夫の遺族年金を受給することができますか。

内縁の妻（婚姻届は出していないが、事実上の夫婦である妻）は、生計が同一であるなど事実上の夫婦関係であることを証明することで、遺族年金の受給権を得られる可能性があります。

被相続人が公的年金の被保険者または受給権者であった場合、死亡届と遺族年金の請求が必要です。この場合、通常は遺族である戸籍上の妻または子が受給権者として裁定請求を行います。実際には夫婦の状態でありながら、戸籍上の届出をしていない（内縁の）妻が遺族となった場合、被相続人によって生計が維持されていたこと、届出をすれば法律上の夫婦になれる状態であったこと（重婚など法律上許可されない婚姻状態でないこと）などを立証することができれば、遺族年金の受給権が認められます。

厚生年金などの公的年金は、偶数月の15日に前月分と前々月分がまとめて支給されます。年金受給者が死亡した時には死亡した月の分まで年金を受給する権利があるので、必ず未支給年金が発生します。「未支給年金請求書」を提出することによって未支給年金が支給されますので手続きを忘れないようにしてください。なお、この未支給年金は受け取った遺族の一時所得となり、相続税の課税対象とはなりません。一時所得には50万円の特別控除があるので、実際には税額が発生することは少ないでしょう。

年金の種類によって異なりますが、請求に当たっては主に下記のような書類の準備が必要です。

①事実婚関係及び生計同一関係に関する申立書
②死亡者の除籍謄本
③死亡者の住民票の除票
④請求者の戸籍謄本
⑤請求者の住民票（世帯全員）
⑥請求者の所得証明書
⑦死亡診断書の写し
⑧死亡者、請求者の年金手帳

遺族厚生年金・遺族共済年金の請求

被相続人が厚生年金の被保険者または受給権者であった場合は、所轄の年金事務所に「遺族厚生年金裁定請求書」を提出します。被相続人が共済年金の被保険者または受給権者であった場合は、国家公務員共済組合連合会等に「遺族共済年金」を請求することになります。

遺族厚生年金、遺族共済年金の額は、被相続人が受けていた（または受けるであろう）厚生年金・共済年金の額の 3/4 です。被相続人の基礎年金は遺族年金の対象外となり、本人の基礎年金は受給されます。なお、遺族年金は受給権者が法定されているので相続の対象外であり、相続税の課税対象にもなりません。

寡婦年金、死亡一時金の請求

被相続人が第 1 号被保険者として老齢基礎年金の受給資格を満たしており、かつ、1 回も年金を受給しないで死亡した場合、10 年以上の婚姻期間がある妻には「寡婦年金」が60歳から65歳までの間支給されます。年金の額は、被相続人が受給すべきであった額の3/4の額です。

上記に該当しない場合で、保険料納付済期間が36カ月以上ある人が死亡したケースでは、遺族の請求により最低12万円から最高32万円までの「死亡一時金」が支給されます。課税関係その他については遺族年金に同じです。

Check

年金事務所で手続きして、遺族年金が支給されるまで3～4カ月かかります。そのため、できるだけ早めの手続きをお勧めします。また、受給に当たっては手続きに必要な書類がいろいろあります。多くの市町村では死亡届提出の際にアドバイスしてくれるようですが、詳細は社会保険労務士や年金事務所にご相談ください。

Question

10

健康保険と相続の関係について知りたい

健康保険と相続の関係について教えてください。

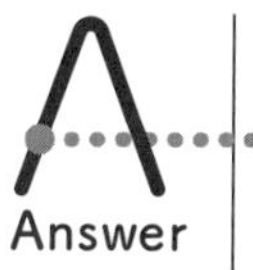

健康保険については、遺族が被相続人の被扶養者になっていた場合は国民健康保険に切り換えが必要です。相続とは直接関係はありませんが、被相続人の死亡に起因する大切なことですので、以下概略を解説します。

健康保険の種類

健康保険は大きく次の３種類に分けられます。市区町村が保険者である「国民健康保険」、全国健康保険協会が保険者になっている「協会管掌健康保険（協会けんぽ）」、公法人としての健康保険組合が保険者である「組合管掌健康保険（組合けんぽ）」の３種類です。

自営業者や農業従事者、学生、退職者などは国民健康保険に加入し、会社員は協会けんぽまたは組合けんぽのいずれかの健康保険の適用を受けています。

[図表 6] 健康保険の主な種類と加入者

保険の種類	国民健康保険	協会けんぽ（全国健康保険協会）	組合けんぽ（健康保険組合）
主な加入対象者	自営業者 農業従事者 学生 会社員 未就業者	主に中・小規模企業の会社員	主に大・中規模企業の会社員

会社員が死亡した場合、その人に扶養されていた家族（健康保険の扶養家族）は、他の家族（長男など）の健康保険の被扶養者になるか、または、単独で国民健康保険の加入者になるか、どちらかを選択する必要があります。年収が 130 万円を超える場合は被扶養者とはなれないので、国民健康保険に加入することになります。

Check

健康保険は死亡によって被保険者の資格を喪失します。遺族は健康保険協会や市区町村に被保険者証を返却する必要がありますが、その際に、健康保険の場合は埋葬料または埋葬費、国民健康保険の場合は葬祭費の請求をすることができます。期限は死亡した日から2年以内となっているので、忘れずに請求を行ってください。

Question

11

父の死後にも母が家に住めるようにできますか

夫は家と預貯金を持っていますが、夫の死後、妻である私が家を相続すると、預貯金は子どもたちが相続することになると聞きました。

私には特に蓄えもなく、そのようになってしまうと生活費がありません。

何とか、生活費を確保しつつ、家に住み続けることができるような相続の仕方はないでしょうか。

ご質問のようなお悩みに応える制度として、「配偶者居住権」というものがあります。

配偶者居住権とは

法務省の資料によれば、「配偶者居住権とは、家主（被相続人）が亡くなった後も配偶者（相続人）が同じ家に住み続けることができる権利のこと」をいいます。これにより、配偶者は住み慣れた自宅での居住を継続しながら、その他の財産も取得することができるようになりました。

例えば、夫が亡くなったケースで、相続人は妻と子一人という例を考えてみましょう。相続財産は自宅が4,000万円、預貯金が4,000万円の計8,000万円、法定相続分どおりに各々1/2ずつ4000万円を相続するものと仮定します。妻（配偶者）が自宅不動産を相続した場合、預貯金は全て息子が相続することになりますが、これでは妻には生活費が全く残りません。逆に自宅を息子が相続すると、預貯金は妻が全て相続しますが、妻は住む家に困ってしまいます。

このようなケースを解決するための一つの方法が、配偶者居住権です。自宅不動産の権利を所有権部分と利用権部分とに分けて、この利用権部分である「配偶者居住権」を妻（配偶者）が取得します。そうすることによって、夫を亡くした後も妻は自宅に住み続けることができ、さらにその他の財産も相続できるようになるのです。上記のケースで、例えば配偶者居住権の評価額が1,000万円であった場合に、妻は預貯金4,000万円のうち3,000万円を取得することができるので、当面は生活に困ることなく安心して暮らすことができます。

配偶者居住権の設定方法

配偶者居住権は、相続や遺言で設定できます。すなわち、被相続人が遺言書に配偶者居住権を設定して配偶者に取得させる旨を記載するか、相続開始後に相続人全員による遺産分割協議で決めることができます。設定後は配偶者居住権の登記を済ませて手続き完了です。なお、住み続ける期間の設定は任意です。10年、20年、終身など自身のライフプランに合わせて住む権利を確保することができます。

ところで、配偶者居住権は必ず設定しなければならないものではありません。何もせずとも相続後に自宅に住み続けられる人は大勢います。本制度はいざという時のための選択肢の一つに過ぎませんので、事前によく検討してから設定するか否か判断してください。

配偶者居住を活用すべきケース

以下のようなケースに該当する場合には、配偶者居住権の設定を検討してみましょう。

①自宅不動産以外に相続財産がほとんど無く、預貯金など金融資産が少ない
②先祖代々続く自宅土地を守りたい、直系一族に継承していきたい
③配偶者と子の関係が悪い（親子の仲が悪い）
④配偶者と子に直接的な血縁が無い（後妻と前妻の子のような関係）
⑤後妻である配偶者に自宅に住む権利を残してあげたい
⑥配偶者居住権を利用することで相続税の節税になる可能性がある

なお、そもそも親子関係が円満である場合や、多額の金融資産の相続がある場合はもちろん、残された配偶者が自宅に長く住む意思がない場合などは配偶者居住権を設定する必要はありません。

Check

配偶者居住権は、二次相続の際に消滅するうえ相続税がかからないことから、相続税の節税策の一環として提案されるようなケースもあります。しかし、それは本制度の趣旨とは全く異なるものであり、節税だけを目的として利用する場合には思わぬ落とし穴に引っかかる可能性が大いにあります。制度の詳細な理解には高度に専門的な知識が求められますので、設定の際は必ず弁護士や税理士などの専門家に相談してください。

Question

12

相続を放棄したい

先日、父が亡くなりました。生前から取立て屋のような人物が何度か訪ねてきたことがあり、どうも父は多額の負債を抱えていたようです。私は父の一人息子ですが、父の債務から逃れることはできますか。

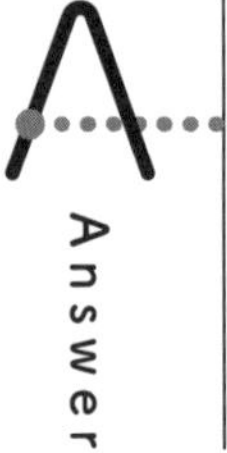

Answer

プラスの財産（積極財産）だけでなくマイナスの財産（消極財産）も相続の対象となります。したがって、通常どおりに相続をした場合には、債務の全てを当然に引き継ぎ、債権者から返済を求められることになります。これを回避するための手続きとして「相続放棄」があります。

相続放棄をしたい場合

被相続人の死亡を知った日から３カ月以内に、家庭裁判所に「相続を放棄する」と申し立てる必要があります（「相続放棄の申述」）。この相続放棄の申述が受理されると、その相続については、初めから相続人とならなかったものとみなされます。

保証債務や借入金などのマイナスの財産がプラスの財産（自宅、貸家、預貯金等）より多い場合、事業の承継など特殊な場合を除いて相続をする意義はありませんので、相続放棄をするのが一般的です。相続放棄は、限定承認（Q13 参照）と違って相続人１人でも行うことができます。

相続放棄がなされると

相続放棄をした相続人は初めから相続人とならなかったものとみなされる結果、次の順位の法定相続人が相続人となります。

質問のケースの場合、第１順位の相続人である相談者が相続放棄をすると、第２順位の直系尊属（相談者の祖父母など）が相続人となり、さらに第２順位の相続人が相続放棄をすると第３順位の相続人である兄弟姉妹（相談者の叔父や叔母など）が相続人となります。

実務では、被相続人が多額の負債を抱えている場合などに、第１順位の相続人全員が相続放棄をし、次に第２順位、第３順位と順番に全ての相続人が相続放棄をしている事例を見ることがあります。

注意点

相続放棄をすることができる３カ月間の期間のことを「熟慮期間」といいます（民法915条１項）。この熟慮期間は被相続人が死亡した時からではなく、「自己のために相続の開始があったことを知った時」すなわち被相続人の死亡を知った時から起算します。したがって、例えば、疎遠になっていて、３カ月以上経ってから被相続人の死亡を知ったような場合には、その時から３カ月が熟慮期間となりますので、まだ相続放棄をすることができます。

また、相続放棄をせずに被相続人のすべての権利義務を相続することを「単純承認」といいますが、被相続人の死亡後に相続人が相続財産の一部を売却するなどした場合には、単純承認をしたものとみなされ、相続放棄はできなくなります。相続財産の全体像が分かっていない段階で、むやみに相続財産に手を付けることには危険が伴いますので、注意が必要です。

Check

相続放棄の手続きは、相続開始地の家庭裁判所に対して申述し（申述書は〔書式１〕参照）、この申述を受理する審判により、相続放棄が成立します。家庭裁判所の手続きの中では比較的簡単なものになりますが、心配な場合には専門家に相談するのがよいでしょう。

なお、債権者もさすがに相続人に対してまでは請求してこないであろう

と考える方もいるかもしれません。確かにそういう事例を目にしたこともありますが、債権の回収に勤勉な債権者は、戸籍・住民票を調査して相続人に対しても請求をしてきますので、根拠のない楽観は危険です。

また、被相続人の債権者などに相続放棄をする旨の内容証明を送付しても一切効力はありませんので、注意が必要です。

［書式1］相続放棄の申述書　※家庭裁判所に用意されており、ホームページからもダウンロードできます。

受付印	相続放棄申述書
	（この欄に収入印紙800円分を貼ってください。） （貼った印紙に押印しないでください。）
収入印紙　円	
予納郵便切手　円	

準口頭		関連事件番号　平成・令和　年（家　）第　号

家庭裁判所 御中 令和　年　月　日	申述人 （未成年者などの場合は法定代理人） の記名押印	印

添付書類	（同じ書類は1通で足ります。審理のために必要な場合は，追加書類の提出をお願いすることがあります。） □ 戸籍（除籍・改製原戸籍）謄本（全部事項証明書）　合計　通 □ 被相続人の住民票除票又は戸籍附票 □

申述人	本籍（国籍）	都道府県		
	住所	〒　－　電話（　） （　方）		
	フリガナ 氏名		昭和 平成　年　月　日生 令和 （　歳）	職業
	被相続人との関係	※ 被相続人の………　1 子　2 孫　3 配偶者　4 直系尊属（父母・祖父母） 5 兄弟姉妹　6 おいめい　7 その他（　）		
法定代理人等	※ 1 親権者 2 後見人 3	住所　〒　－　電話（　） （　方）		
		フリガナ 氏名	フリガナ 氏名	
被相続人	本籍（国籍）	都道府県		
	最後の住所		死亡当時の職業	
	フリガナ 氏名		平成 令和　年　月　日死亡	

（注）　太枠の中だけ記入してください。　※の部分は，当てはまる番号を○で囲み，被相続人との関係欄の7，法定代理人等欄の3を選んだ場合には，具体的に記入してください。

相続放棄（1/2）

(942080)

申述の趣旨
相続の放棄をする。

申述の理由	
※　相続の開始を知った日…………平成・令和　年　月　日 1　被相続人死亡の当日　　3　先順位者の相続放棄を知った日 2　死亡の通知をうけた日　　4　その他（　）	
放棄の理由	相続財産の概略
※ 1　被相続人から生前に贈与を受けている。 2　生活が安定している。 3　遺産が少ない。 4　遺産を分散させたくない。 5　債務超過のため。 6　その他（　）	資産 農地……約　平方メートル　現金・預貯金……約　万円 山林……約　平方メートル　有価証券……約　万円 宅地……約　平方メートル 建物……約　平方メートル 負債……………………約　万円

（注）　太枠の中だけ記入してください。　※の部分は，当てはまる番号を○で囲み，申述の理由欄の4，放棄の理由欄の6を選んだ場合には，（　）内に具体的に記入してください。

相続放棄（2/2）

Question

13

財産の一部だけを相続できますか

亡父が借金の保証人になっていたようですが、どれくらいの金額の保証人になっていたのか見当がつきません。遺産は居宅の他、貸家と預貯金が2,000万円ほどあり、ただちに相続放棄するのもためらわれます。何か良い方法はありますか。

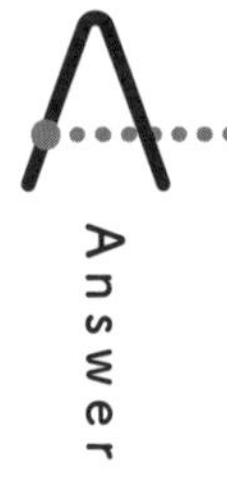

亡父の保証債務の金額は不明ですが、ある程度の遺産もありますので、相続放棄によって居宅を無条件で手放すことは躊躇されるのではないかと思われます。限定承認を選択すれば、相続はしても債務は遺産の範囲内で弁済すれば足り、積極財産が余る場合には相続人間で分配できます。

相続人が被相続人のすべての権利義務を相続する「単純承認」に対して、債務の返済などは相続によって得た財産の範囲内で義務を負うという条件で被相続人の権利義務を相続する「限定承認」という方法があります。

限定承認を行えば、万が一、被相続人の積極財産よりも負債の方が多かった場合でも、相続人は相続財産の範囲で責任を負えばよく、もともと持っていた自分の財産まで弁済をする必要はありません。

限定承認の手続き

限定承認も、相続放棄と同様に相続の開始を知った時から3カ月以内の熟慮期間内に行う必要があります。

相続人が複数人いる場合は、相続人全員で家庭裁判所に申し立てる必要があります（「申述」といいます）。もし、相続人の１人が限定承認に参加しない場合は限定承認を行うことはできず、他の相続人は、相続放棄か単純承認をするしか方法はありません。

また、熟慮期間内に相続放棄も限定承認もいずれも行われなかったときは、単純承認をしたものとみなされ、相続人は被相続人のすべての権利義務を相続します。熟慮期間の管理には注意してください。

Check

被相続人の遺産のうち積極財産（自宅不動産、預貯金等）より消極財産（借金等）が少ない可能性がある場合には、限定承認の選択を検討するのがよいでしょう。

限定承認の申述をする場合には、正確な遺産目録を作成する必要があり、相続放棄の場合よりも少し手続きが大変になると思われますので、専門家への相談をお勧めします。

［書式 2］限定承認の申述書の書式

※家庭裁判所に用意されており、ホームページからもダウンロードできます。

受付印

収入印紙	円
予納郵便切手	円
予納収入印紙	円

家事審判申立書　事件名（　　　　　　）

（この欄に申立手数料として1件について800円分の収入印紙を貼ってください。）

（貼った印紙に押印しないでください。）

（注意）登記手数料としての収入印紙を納付する場合は，登記手数料としての収入印紙は貼らずにそのまま提出してください。

準口頭		関連事件番号　平成・令和　　　年（家　　　）第　　　　号

家庭裁判所 御中 令和　　年　　月　　日	申立人 （又は法定代理人など） の記名押印	印

添付書類	（審理のために必要な場合は，追加書類の提出をお願いすることがあります。）

申立人	本籍 （国籍）	（戸籍の添付が必要とされていない申立ての場合は，記入する必要はありません。） 都道 府県
	住所	〒　　－　　　　電話　（　　　） （　　　　方）
	連絡先	〒　　－　　　　電話　（　　　） （　　　　方）
	フリガナ 氏名	昭和 平成 令和　　年　　月　　日生 （　　　歳）
	職業	
※	本籍 （国籍）	（戸籍の添付が必要とされていない申立ての場合は，記入する必要はありません。） 都道 府県
	住所	〒　　－　　　　電話　（　　　） （　　　　方）
	連絡先	〒　　－　　　　電話　（　　　） （　　　　方）
	フリガナ 氏名	昭和 平成 令和　　年　　月　　日生 （　　　歳）
	職業	

（注）　太枠の中だけ記入してください。
※の部分は，申立人，法定代理人，成年被後見人となるべき者，不在者，共同相続人，被相続人等の区別を記入してください。

別表第一（1/　　）

申　立　て　の　趣　旨

申　立　て　の　理　由

別表第一（　/　）

Question

14

空き家を相続放棄したい

父が亡くなり、家に住む人がいなくなってしまいました。空き家を相続放棄したいのですが、留意点はあるでしょうか。

相続放棄によって空き家の所有権を取得しなかったことになり、固定資産税の負担を免れることはできますが、相続放棄後も管理者としての責任を負うため、不適切な管理により第三者に損害が生じた場合は、損害賠償請求を受ける可能性があります。

相続放棄

相続放棄をした相続人は初めから相続人とならなかったものとみなされる結果（Q12参照）、相続財産を取得することはありません。

したがって、相続財産の中に空き家があった場合でも、相続放棄をすれば空き家の所有権を引き継ぐことはなく、所有者としての責任を免れることができます。具体的には、毎年1月1日時点の所有者に対して課される固定資産税の負担を免れることができます。

管理者としての責任

ただ、民法940条1項は「相続の放棄をした者は、その放棄によって相続人となった者が相続財産の管理を始めることができるまで、自己の財産におけるのと同一の程度の注意をもって、その財産の管理を継続しなければならない」として、相続放棄後の管理責任を規定しています。

したがって、相続放棄をした相続人であっても、次順位の相続人が空き家を相続によって取得するか、相続財産管理人が選任されて空き家の管理をするまでの間は、一定の管理責任を負うことになります。

この相続放棄後の管理責任は「自己の財産におけるのと同一の程度の注意」とされ、特に高度な責任（「善良なる管理者の注意義務」、「善管注意義務」）よりは低いもので足りますが、空き家の場合でいえば、最低限の戸締りをして外部の者が侵入・放火をする危険を防止したり、空き家の倒壊を防ぐ最低限の補強をしたりといった一定の措置を取る必要があります。そして、この注意を怠った結果、空き家が原因となって近隣や歩行者に損害が生じた場合には損害賠償責任を負う可能性があります。

相続財産管理人の選任

次順位以降のすべての相続人が相続放棄をして空き家を取得してくれない場合には、家庭裁判所に相続財産管理人を選任してもらい、空き家の管理を引き継いでもらう必要があります（Q8 参照）。

この相続財産管理人の選任の際には、相続財産管理人の報酬や各種の費用のための予納金を家庭裁判所に納める必要があります。

空き家が大きな物件であり、倒壊の危険や近隣との紛争を抱えている場合には相続財産管理人の処理も相応のものとなりますので、予納金の金額も一定の金額になるものと思われます。数十万円から 100 万円程度とされる例が多いようです。

したがって、相続放棄をせずに自らの責任で空き家について売却、解体その他の対応を取った方が、相続財産管理人を選任してもらうよりも、かえって迅速に処理が進み、費用も低廉で済む可能性もあります。

相続放棄の是非を検討する際には、単に資産と負債を比較したり、空き家への関与が面倒であったりという理由だけで放棄を選択するのは適当ではなく、放棄後の管理責任や経済的負担を考慮して慎重に方針を決定する必要があります。

☛ Check

空き家問題に対処するために、平成27年2月から「空き家対策特別措置法」が施行されています。

この法律の下、そのまま放置すれば倒壊するような著しく危険な状態になるおそれのある空き家などは自治体によって「特定空家等」と指定され、所有者の許可なく立入り調査が行われたり、所有者などに対して改善を求める助言・指導・勧告・命令などの措置がなされたりすることが可能となりました。

また、どうしても改善がなされない場合には、一定の要件の下で、自治体自身が行政代執行の方法で強制執行をすることも可能となりました。この場合には強制執行の費用は最終的には空き家の所有者の負担となり、支払いができない場合には資産の差押えなどを受ける可能性もあります。その他、取壊し費用について公費による援助をしている自治体もあります。

相続放棄をするのではなく、自治体の補助金制度を利用するなどして空き家の取壊しなどを行うことを検討するのも一つの方法ですし、どうしても相続放棄をする場合でも、その後の相続財産管理人の選任などがスムーズに進むように必要な情報の共有や引継ぎを試みてください。

Question

15

生前になされた相続放棄の契約が有効か知りたい

妻が亡くなり、２人の息子がいます。長男は若い頃に家を出て成功をしていて、次男が残って家業を手伝ってくれています。家業を次男に継いでもらうために、私が生きている間に長男に「一切の相続を放棄する」という念書を書いておいてもらおうと考えています。このような念書は有効でしょうか。

被相続人の生前に相続を放棄することはできません。

仮に、念書などを作成していてもこの念書は法律上無効で、相続を放棄したことにはなりません。

生前になされた相続放棄の有効性

民法上、相続放棄は、「自己のために相続の開始があったことを知った時から３箇月以内」にしなければならないと規定されていて、生前の相続放棄については規定されていません（民法915条１項）。

また、裁判例でも、被相続人と相続人の間で生前になされた相続放棄の契約は法律上無効であると明確に判断されています。

生前の相続放棄が認められないのは、これが許されると戦前の家督相続のような形で被相続人が長男以外の親族に相続放棄を強要し、今日の価値観にそぐわない不公平な結論が生じるおそれがあるから考えられています。

廃除や遺留分放棄の手続き

推定相続人に廃除事由がある場合には、廃除の手続きを取ることで相続権を失わせることができます（Q04 参照）。

また、「全財産を○○に相続させる」という遺言を作成した上、他の推定相続人には遺留分の放棄をしてもらうという方法も考えられます。

すなわち、全財産を１人に相続させるという遺言を作成した場合でも、他の相続人には遺留分が保障されており、その権利を行使することで一定割合の相続権が認められます（Q54 参照）。

この遺留分を事前に放棄してもらうことで、生前の相続放棄と同様の結論を確保することができます。

ただし、この遺留分の放棄の影響は大きいため、放棄をする本人が家庭裁判所に申立てをし、家庭裁判所が各種の事情（申立てが制度を理解した上で真意に基づいてなされているか、放棄の合理性、必要性、放棄の代償の有無など）を考慮して放棄を許可するかどうかを判断します。放棄が当然に認められるわけではない点に注意が必要です。

Check

質問のケースの場合、相談者が次男に全財産を相続させたいのであれば、長男に廃除事由があるのでない限り、「全財産を次男に相続させる」という遺言書を作成するとともに、長男に遺留分放棄の申立てをしてもらう必要があります。

その際、長男には、遺言の趣旨やこれまでの経緯を説明し、場合によっては一定の代償を支払うなどして理解を得る必要があります。

普段からお互いにコミュニケーションを取り、兄弟間で不公平感がないよう、良好な関係を築いておくことではじめて、円満な事業の承継が可能となります。

Question

16

生前贈与を受けた者の相続分について知りたい

父が先月に他界し、私と兄姉の3人で相続をすることになりました（母は3年前に死亡）。兄は生前父から独立資金（会社設立）として2,000万円相当のお金をもらっていました。3人で父の遺産1億円を分割する際にどのような配分となるのでしょうか。

Answer

生前贈与が特別受益に当たるかどうかで相続分が変わります。

父の遺産を3人で法定相続分に従って分割すると、兄だけが他の兄弟よりも高額な財産を取得することになり、相続人間の公平が損なわれるおそれがあります。そこで相続人間の実質的な公平を図る方法として、特別受益の制度が設けられています。

特別受益は相続財産に含める

共同相続人の中の特定の者が、被相続人から婚姻、学業、生計の資本などとして生前贈与や遺贈を受けていた場合、この財産を「特別受益」といい、相続分の前渡しがなされたものとして清算がなされます。

具体的には、相続開始時の相続財産に特別受益を加え（持戻し）、この「みなし相続財産」を基に各相続人の相続分を計算し、そこから特別受益分を差し引いて実際の相続分を計算します。

つまりこれは、他の相続人との間に生じる不公平を是正するための制度です。

特別受益の評価

特別受益の持戻しがなされる際には、贈与された財産を相続開始時の評価額に換算した価格をもって評価します。

贈与されたのが現金であれば相続開始時の貨幣価値を参考に評価額を計算し、贈与されたのが不動産であれば相続開始時の市場価値に照らして評価額を計算しなおします。

質問のケースの場合

亡父が長男へ会社設立資金として出した金額 2,000 万円は特別受益に当たると考えられるので、亡父の遺産分割時に特別受益分を加算したものをみなし相続財産として協議します。

亡父の遺産は 1 億円、長男への生前贈与は 2,000 万円ですから、これを足して 1 億 2,000 万円が計算上の相続財産となります。したがって、この額を各自の相続分割合に按分して相続分を算定します。

長男　12,000 万円× 1/3 ＝ 4,000 万円
　　　4.000 万円－ 2,000 万円（亡父からの生前贈与分）＝ 2,000 万円
長女　12,000 万円× 1/3 ＝ 4,000 万円
次男　12,000 万円× 1/3 ＝ 4,000 万円

以上のとおり、長男は 2,000 万円、長女と次男のあなたはそれぞれ 4,000 万円を取得することになります。

また、平成 30 年改正相続法では、配偶者の生活保障の観点から、結婚期間が 20 年を超えた夫婦間において、居住用不動産の遺贈・贈与があった場合、持戻し免除の意思表示があったものと推定するという規定が設けられました（民法 903 条 4 項）。贈与されたのが居宅兼店舗であった場合

にも持戻し免除の意思表示が推定されるのかといった点で、今後、事例や議論が積み重ねられるものと思われますが、実際の相続の場面では注意が必要な改正です。

Check

そもそもどこまでが特別受益にあたるかの判断は難しいケースが多々あります。例えば、結婚式や結納の費用は特別受益とならない場合が多いのですが、質問のケースのように独立のための事業資金を支援してもらった場合は特別受益にあたる可能性があるとされています。ケースバイケースですので、事前に弁護士などとよく相談することをお勧めします。

また、生前贈与や遺贈は相続分の前渡しであるという考えから、相続財産とみなされ遺産分割の際に考慮されます。

ただし、被相続人が遺言や何らかの形で「○○に対する贈与（または遺贈）は遺産分割にあたって考慮しないこと」として持戻しを免除する意思表示を行っていたときは、遺留分の規定に反しない限り、生前贈与などが優先されることになります。

被相続人がこのような考えをもっている場合は、遺言書を作成しておくとよいでしょう。

Question

17

生前に看病し続けた分だけ相続分を増やせますか

2人兄弟の次男です。父は生前に中華料理店を営み、私も高校卒業後、ほぼ無給で一緒に働いてきました。母は若い時に亡くなりました。父は晩年は持病で寝たきりになり、私と妻の2人で店を切り盛りするとともに、父の介護をしてきました。兄は実家にはめったに帰省しませんでしたし、父の介護も私たち夫婦に任せきりでした。

父が先月亡くなり、特に遺言書も作成されなかったため、兄と遺産分割の話合いをしなければなりませんが、父の介護を一切しなかった兄と遺産を平等に分割するほかないのでしょうか。

家業への貢献や療養看護によって被相続人の財産の維持または増加という結果が生じた場合、相続人には「寄与分」が認められ、法定相続分を超える財産の取得が認められる可能性があります。

寄与分とは何か

民法では、共同相続人のうち、被相続人の事業に関する労務の提供または財産上の給付、被相続人の療養看護その他の方法により被相続人の財産が維持または増加したことにつき特別の寄与をした者があるときは、遺産を分ける際、その相続人に特別の寄与（「寄与分」）を認めて相続分を増やすことを認めています（民法904条の2）。

①共同相続人による寄与行為であること、②特別の寄与があること、③

寄与と被相続人の財産の維持・増加との間に因果関係があることが要件と考えられています。

また、条文上、寄与の具体例として、「被相続人の事業に関する労務の提供」、「被相続人の事業に対する財産の給付」、「被相続人の療養看護」が挙げられています。

したがって、設問のケースの場合には、「被相続人の事業に関する労務の提供」や「被相続人の療養看護」として寄与分が認められる可能性があります。

寄与分の決定方法

寄与分の金額は、原則として相続人全員の協議で決められます。質問のケースでは相談者と長男の２人で寄与分の金額を決めることになります。

もっとも、兄弟間で寄与分を決めることができない場合は、家庭裁判所に調停ないしは審判の申立てをして寄与分の額を決めてもらうことになります。その場合、家庭裁判所は、上記の①から③の要件を満たしているかを検討し、寄与分の額を決めます。

Check

共同相続人による寄与行為であることが要件とされていることから、共同相続人ではない次男の嫁が長男の父を看護したとしても、原則として寄与分は認められていませんでした。

しかし、それでは不公平な結論となることが多かったため、平成30年改正相続法では「特別の寄与」という新しい制度が設けられました。具体的には民法で、相続人ではない親族（具体的には被相続人の子どもの妻であることが多いようです）の特別寄与料の請求が認められました（Q18参照）。

Question

18

義父の介護を続けてきたことを相続の際に考慮してもらえないか

長年寝たきりだった義父が死亡しました。義母はすでに死亡しており、義父には私の夫である長男と次男の2人の子どもがいますが、次男はたまに帰国する以外は海外で放浪生活を送っていて、義父の身の回りの世話や介護はもっぱら私が行ってきました。

義父の財産が目的で介護をしていたわけではありませんが、義父の相続の際に私の長年の苦労を何らかの形で考慮してもらうことはできないのでしょうか。

これまで、長男の配偶者は法定相続人ではないため寄与分（Q17）は認められておらず、財産を遺贈するという遺言が作成されていない限りは、生前の介護などを相続の場面で考慮してもらうことができず、不公平な結論になる例がみられました。

このような状況での実質的な公平を図るため、平成30年改正相続法では「特別の寄与」という制度が新たに設けられました。

特別の寄与の制度

平成30年改正相続法では、被相続人に対して無償で療養看護その他の労務の提供をしたことにより被相続人の財産の維持または増加について特別の寄与をした被相続人の親族を「特別寄与者」と呼び、この特別寄与者は、相続開始後、相続人に対して、寄与に応じた額の金銭（「特別寄与料」）の支払を請求できるとされました。

特別寄与料の要件など

まず、注意が必要な点として、「特別寄与者」は被相続人の親族（ただし、相続人、相続放棄をした者、相続欠格や相続廃除によって相続権を失った者を除きます）に限られる点です。

本来の親族は、6親等以内の血族、配偶者、3親等以内の姻族で、ここから相続人などを除いた者が特別寄与者になることができます。質問のケースのような長男の嫁は、義父から見て1親等の姻族ですので特別の寄与者になることができます。

次に、療養看護や労務の提供が無償であったことも要件とされています。もし、被相続人から労務を提供した者に対して何らかの対価が与えられていた場合、被相続人としてはそれ以上の財産を与える意思はなかったと考えられますし、特別寄与料の請求が認められなくても不公平な結論にはならないからです。

ただ、被相続人が労務を提供した者の生活費を負担していた場合、被相続人が労務を提供した者に対してごくわずかな金銭を支払っていた場合、労務を提供した者が被相続人ではなく相続人から金銭を受領していた場合など、「無償」の判断が難しい場合も多々あり、今後の実務での判断の集積が待たれます。

その他、特別寄与料の請求ができる期間についても、①特別寄与者が相続の開始および相続人を知った時から6カ月を経過したとき、または②相続開始の時から1年を経過したときという制限があるので注意が必要です（「除籍期間」）。

特別寄与料の算定方法

労務を提供した者に対して支払われる特別寄与料の金額は、一次的には関係者間の協議で決めることになります。

しかし、関係者間の意見対立などがあり、協議で金額を決めることができない場合には、家庭裁判所の調停・審判手続きの中でこれを決める必要があります。

この特別寄与料の算定方法についても現時点では実例が少ないのが実情です。被相続人の療養看護が無償で行われてきた場合、本来、発生したであろう介護報酬を参考に特別寄与料の金額を計算するべきであるという議論もあり、一つの目安になるかもしれません。

Check

「特別の寄与」の制度が設けられたことで、相続人ではない親族の立場にも配慮した相続を実現することができるようになりました。

もっとも、特別寄与料の金額などを巡って関係者間で意見が対立する可能性もありますので、このような争いの余地を残さないためにも、関係者の立場や貢献を考慮した遺言を作成しておくのがよいでしょう。

Question

19

遺産分割協議書を作りたい

父が他界しました。相続人は母、長男である私と妹の３人で、残された財産は自宅と預貯金のみです。父は遺言書を作成していませんでしたので、３人で話し合って遺産分割をする予定ですが、どのような書類を作成すればいいでしょうか。また、自宅の登記や預貯金の解約などにはどのような手続きが必要なのでしょうか。

Answer

相続人間で、誰が、どの財産を取得するのかを決めることを「遺産分割」ないしは「遺産分割協議」といい、この遺産分割の内容を確認する書面を「遺産分割協議書」といいます。

民法では、被相続人が遺言で遺産の分割方法を決めていたり、５年を超えない期間を定めて分割を禁止したりしていた場合を除いて、相続人はいつでも協議で遺産を分割することができると規定しています。

遺産分割協議書の方式

遺産分割協議書の方式は、遺言と違い特に法律では規定されていませんが、合意した内容について相続人全員署名、捺印（意思確認のため実印で行うのが一般的です）が必要です。

全員が集まって協議をすることが困難な場合は、相続人の代表が協議書の案を作成して他の相続人に郵送等で送付して署名、捺印をしてもらう持回りの形でも作成できます。

相続人全員が署名、捺印をした遺産分割協議書は、相続人各人がそれぞれ１通ずつ保有するのが一般的で、不動産の登記申請や預貯金・証券等の解約・名義変更の申請に使用する場合があります。

ただし、不動産の登記申請の際には、法務局所定の登記申請書や必要な添付書類を準備する必要があります。実印が必要な場合とそうでない場合が複雑に分かれていますので、司法書士に相談するのが安全です。

また、預貯金の払戻しや名義変更には、遺産分割協議書とは別に、各金融機関所定の手続書類を作成する必要があり、すべての相続人の署名と実印による捺印が必要です。

法定相続分との関係

遺産の分け方については、相続人全員の合意があれば法定の相続分と違ったどのような内容の協議書でも有効です。

また、預貯金について、相続人間で後にトラブルが生じるおそれがある場合には、疑義を残さないため、相続開始時点の残高を明示しますが、そのようなおそれがない場合には、口座を特定する情報のみを記載し、残高の記載は省略することもあります（書式3）。

その他、相続財産の漏れがあった場合には、その部分について改めて協議をする必要が出てくるため、「本協議書に記載された以外の財産または債務が発見された場合には、○○がこれを相続し、取得する」といった条項を末尾に入れておく例もあります。

遺産分割協議書の作成の期限

遺産分割協議書の作成期限は特にありません。ただし、相続税の申告期限は相続開始後10カ月ですから、それまでに遺産分割協議書が作成できれば、相続税の申告の際に「小規模宅地等の評価減の特例」「配偶者税額軽減の特例」の適用を受けることができます。

Check

遺産分割協議の場で、相続人間でトラブルが生じることがあります。長年にわたって積み重なってきた不公平感や不満が相続を機に一気に噴き出

していくのかもしれません。

その一方で、相続人全員がそれぞれ同じ落ち着きどころを考えているものの、お互いが疑心暗鬼になって、自分の考えを言うのに躊躇してしまっているような場面もあります。

いずれにせよ普段から話をする機会を設けて、無用な争いを少しでも避けることが望ましいのではないでしょうか。

［書式 3］遺産分割協議書書式例

遺産分割協議書

被相続人山田太郎（令和○○年○○月○○日死亡、最後の住所地○○市○○町○丁目○○番）の遺産につき、同人の相続人全員において協議を行った結果、各相続人は次のとおり遺産を分割し取得することに決定した。

1　相続人山田花子が取得する財産

(1)　土地

所　　在　○○市○○町○丁目

地　　番　○○番

地　　目　宅地

地　　積　○○．○○平方メートル

(2)　建物

所　　在　○○市○○町○丁目○番地

家屋番号　○○番

種　　類　居宅

構　　造　木造瓦葺弐階建

床 面 積　○○．○○平方メートル

2　相続人山田一郎が取得する財産。

○○銀行○○支店に対する預金債権

3　相続人山田二郎が取得する財産

ゆうちょ銀行○○支店に対する貯金債権

4　相続人山田花子は、被相続人甲の葬儀費用その他の相続債務の全てを負担する。

以上のとおり、相続人全員による遺産分割の協議が成立したので、これを証するため本書を作成し各自記名押印する。

令和○○年○○月○○日

相続人　住　所　東京都○○区○○町一丁目 12 番 3 号

氏　名　山　田　花　子　　　　印

相続人　住　所　東京都○○市○○町二丁目 34 番 5 号

氏　名　山　田　一　郎　　　　印

相続人　住　所　千葉県○○市○○町三丁目 45 番 6 号

氏　名　山　田　二　郎　　　　印

Question

20

まとまらない遺産分割協議を終わらせたい

父が遺言書を残さないまま他界しました。相続人である兄弟間で、四十九日法要の後に、遺産の分け方を相談しましたがまとまりません。どうしたらよいか教えてください。

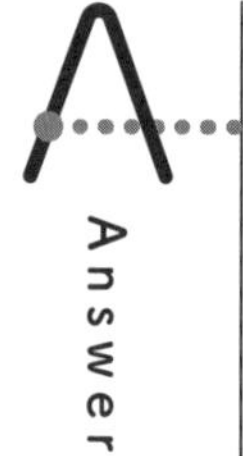

遺産分割の協議に共同相続人が全員参加できない事情があるときや、協議しても合意が得られないときは、家庭裁判所に申し立てて解決を図ることができます。

具体的には調停と審判という2つの手続きがあり、一般的には調停を申し立て、まとまらない場合審判に移行します。

ただし、事案によっては、最初から審判の申立てをすることもあります。

家庭裁判所の調停手続

遺産分割の調停は、解決を望む相続人が、他の相続人を相手方として、申し立てます。他の相続人のうち1人の住所地を管轄する家庭裁判所に申立をすることができますが、当事者が合意で申立先の家庭裁判所を決めることもできます。すべての当事者が調停に参加しなければ、遺産分割はできませんので、すべての当事者が出頭しやすい家庭裁判所がどこであるのか、よく検討してください。

申立書の書式や記載例は裁判所のホームページで公開されています。

また、必要書類として、遺産分割申立書に遺産目録、被相続人の除籍謄本、相続人の戸籍謄本などを添付するのが一般的ですが、個々の事例によってはさらに詳しい資料を添付する必要があるかもしれませんので、裁判所や専門家に相談するのもよいでしょう。

家庭裁判所では、裁判官・調停官1人と、調停委員2人以上で構成される調停委員会が調停を担当します。

調停委員会の専門的な知見を踏まえつつ、各相続人の意見や希望を調整して話合いでの妥当な解決を目指します。話合いがまとまると、この結果は「調停調書」に記載されます。

この調停調書は確定した審判と同じ効力があり、この調書により遺産分割が行われることになります。不動産の登記手続きや預貯金の解約などの手続きの際にも調書を添付します。

これに対して、話合いがまとまらなかった場合には、調停不成立として手続きが終了します。

家庭裁判所の審判手続

調停で話合いがまとまらなかった場合、調停の申立ての時に遺産分割の審判の申立てがあったものとみなされ、自動的に審判が開始します。したがって、調停が不成立として終了した後、改めて審判の申立てをする必要はありません。

なお、調停を経ずにいきなり審判を申し立てることもできますが、相続という事柄の性質上、まずは当事者間が調停手続の中でよく話し合って解決するのが望ましいという観点から、家庭裁判所は職権で事件を調停に回すことができ（「付調停」）、実務上もその場合が大半です。

審判では、当事者から提出された資料や事実の調査結果に基づいて、裁判所が特別受益や寄与分および財産の種類、性質、各相続人の職業その他一切の事情を考慮して、遺産分割方法について最終的な判断をします。

ただし、解決の対象となる問題を柔軟に設定できる調停手続とは異なり、審判で判断できる問題には限界があります。例えば、葬儀費用、祭祀承継、使途不明金といった問題については調停では柔軟に解決をすることができますが、審判ではこれらの問題を判断することができず、審判とは別に訴訟などを利用しないと抜本的な解決を図れない場合もあり得ます。

また、審判の内容に不服がある場合には、高等裁判所に不服を申し立て、さらに争うことになります（「即時抗告」）。

Check

最近では、相続人が子どもたちだけの場合の遺産配分の争いのみならず、子のない夫婦が増えているためか、夫や妻の遺産をそれぞれ兄弟が争うケースも増えています。

解決方法として、家庭裁判所の調停、審判という手続きがありますが、制度的な限界もあるほか、解決まで時間・費用がかかる場合も多いのが実情です。

このような手続きを利用しないでも済むようにお互いが譲歩をして早期解決を図ることが望ましいほか、さらには生前に遺言書を作成したりすることもぜひ検討してください。

Question
21
認知症や行方不明の相続人がいるときも遺産分割をできるか

父が死亡しました。相続人は、母、子どもである私と弟の3名ですが、母は認知症が進行していて、父が死亡したこともよく理解できていない様子です。

また、弟は、10年以上、行方不明です。

このような状況でも父の相続財産について遺産分割をすることができますか。

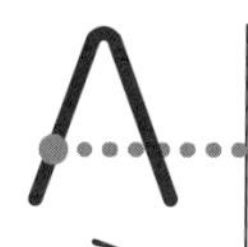

相続人の中に判断能力を失っている者がいるときは、家庭裁判所に成年後見人を選任してもらう必要があります。

また、相続人の中に行方不明の者がいるときは、家庭裁判所に不在者財産管理人を選任してもらうか、場合によっては失踪宣告を出してもらい法律上死亡したものと取り扱う必要があります。

成年後見制度の利用

認知症や精神疾患などによって判断能力が失われている相続人は、遺産分割の際に有効な意思表示をすることができません。

そこで、家庭裁判所に、本人のために成年後見人を選任してもらい、成年後見人が本人に代わって遺産分割協議や各種の財産管理を行うことになります（詳細はQ70以下）。

質問のケースでは、母に成年後見人を選任してもらい、その成年後見人と遺産分割協議をすることになります。

注意が必要な点として、一度、選任された成年後見人の職務は、遺産分割協議の後も継続し、本人が死亡するなどの一定の事由が生じるまで終わりません。これは本人の保護のためですが、遺産分割協議後も、本人の利害と関係する事柄（施設への入所や生活費の負担など）については、成年後見人と連携をしながら進めていく必要があります。

不在者財産管理人・失踪宣告

従来の住所・居所を去って戻る見込みのない者（不在者）について、家庭裁判所に不在者財産管理人の選任を申し立てることができます。

質問のケースのように相続人の中に所在不明の者がいて遺産分割協議ができない場合が、この不在者財産管理人が選任される典型的な事例といえます。

質問のケースでは､所在不明の弟に不在者財産管理人を選任してもらい、この不在者財産管理人が家庭裁判所の許可を得て、遺産分割協議をすることになります。

また、所在不明者の生死明から７年間が満了したときなどは家庭裁判所に失踪宣告を出してもらうことで、所在不明者の財産について新たに相続が開始します。

質問のケースで、例えば、弟の姿が最後に確認されてから７年以上経過している場合には、弟に対する失踪宣告を出してもらった上、質問者と母との２人で遺産分割をするという選択もあります。

Check

高齢化に伴い認知症を抱える方も増えています。また、警察庁の統計では、ここ数年、年間８万人以上の方について警察に行方不明の届出が出ています。質問のようなケースも決して他人事ではありません。

通常の遺産分割とは異なる特殊な手続きが関係してきますので専門家への相談をお勧めします。

Question

22

遺産分割が終わるまで預金は払い戻せませんか

父が急死しました。母はすでに他界し、相続人は私と弟の2人です。弟は仕事の都合でなかなか落ち着いて話せません。

父の葬儀費用に一定額の現金が必要なのですが、私も弟も資力はなく、父が銀行に持っていた預金600万円から捻出するほかありません。弟と遺産分割をする前に何とかして父の預金から一定額を出金することはできませんか。

Answer

相談者は、家庭裁判所の判断を経ることなく100万円までは単独で払戻しを受け、葬儀費用などの支払に備えることができます。計算は以下です。

相続開始の預貯金額600万円×1/3×法定相続分1/2＝100万円≦150万円

なお、いきなり金融機関に行っても払戻しを受けられず、最低でも、相続の開始を確認できる除籍謄本や法定相続分を計算するのに必要な戸籍謄本類は必要になると思われますので、ご注意ください。

平成30年改正相続法では、相続開始直後の急な資金需要への対応策として、①家庭裁判所の判断を経なくても一定額の預貯金の払戻しを受けることができる制度と②家庭裁判所の判断を経て預貯金の払戻しを受けることができる制度を新設しました。

家庭裁判所の判断を経ない預貯金の払戻し

平成28年12月19日の最高裁決定によって預貯金債権も遺産分割の対象になると判断されたことから、遺産分割が未了のままでは相続人といえども預貯金の払戻しを受けることができません。

しかし、それでは被相続人の入院費用や葬儀費用の支払いに困ることもありますし、被相続人の預貯金で一緒に生活をしていた家族がいる場合にはたちまち生活に支障をきたすことになってしまいます。

そこで、平成30年改正相続法では、預貯金の1/3に各相続人の法定相続分を乗じた額で、かつ、法務省令が定める上限額（1金融機関あたり150万円）までは、家庭裁判所の判断を経ずに、各相続人が単独で払戻しを受けることができるという規定が設けられました（民法909条の2)。

金額の要件を式で表すと以下のとおりとなります。

相続人が遺産分割前に 単独で払戻しを受ける ことができる金額	＝	相続開始時 の預貯金額	× 1/3 ×法定相続分≦ 150万円

家庭裁判所の判断を経る預貯金の仮払い

平成30年相続法改正の際に家事審判法も改正され、遺産分割の調停・審判手続きが係属している場合に、家庭裁判所は一定の要件の下、預貯金の仮払いを認めることができるとされました。仮払いが認められる典型的な場合としては、生活費・施設入所費・医療費の支払いの必要があるケースや相続税などの支払があるケースであると考えられます。

Check

①家庭裁判所の判断を経ない預貯金の払戻しには限度額があるため、比較的少額の資金需要の場合に適しています。これに対して、②家庭裁判所の判断を経る預貯金の仮払いについては、限度額がないため、①の限度額を超える資金需要がある場合には、この方法を検討するのがよいでしょう。

Question

23

相続手続には戸籍謄本等が何セットも必要でしょうか

亡くなった父の相続手続のために全国各地の役所から戸籍謄本類を集めています。

手続きをする金融機関等の数だけ戸籍謄本類を集めなければならないとすると、何セットも取寄せをしなければならず、相当負担が重くなってしまいます。

何か便利な手続きはないのでしょうか。

Answer

法定相続情報証明により、手続きをスムーズに進めることができます。

各種手続きに必要な戸籍謄本類

相続財産となっている預貯金口座の解約や名義変更をする際には、相続人の範囲を確認するための資料として、戸籍謄本類（戸籍謄本、除籍謄本、改製原戸籍）が必要となります。被相続人の出生から死亡までの戸籍謄本類のほか、相続人・代襲相続人の戸籍謄本類や、場合によっては被相続人の両親の出生から死亡までさかのぼって戸籍謄本類が必要になることもあります。第３順位の兄弟姉妹が相続をする場合には、第２順位の父母がすでに死亡していることや異母兄弟等の存在を確認する必要があるからです。

これらの戸籍謄本類は、本籍地の自治体で取得する必要があります。遠方の場合には、窓口に行かなくても郵送での取寄せも可能です。ほとんどの自治体が、取寄せの方法や申請用紙をホームページに掲載してくれています。

郵送で取り寄せる際には、申請書等や返信用封筒のほか、発行手数料に代えてゆうちょ銀行が発行している「定額小為替」を同封します。これは郵便法が普通郵便で現金を送ることを禁止しているからです。

また、本籍地の変更がなされているなどして、予想していたよりも多い戸籍謄本類を発行してもらうこともありますが、新たな戸籍の存在が分かるたびに何度も郵便の往復をするのは大変であるため、多めの定額小為替を入れておくと、必要な戸籍謄本類をまとめて１回に発行してくれる自治体もあります。

その他、特殊な例としては、第二次世界大戦中の戦災や関東大震災により戸籍謄本類が焼失している場合や、終戦時に戸籍を持ち帰ることができなかった旧樺太の一部の地域の場合等があります。前者については消失の証明書が発行されることで各種手続きができることが多いですし、後者の場合についても金融機関や法務局等に戸籍が欠けている場合の対応を相談するのがよいでしょう。

法定相続情報証明制度

現在、各金融機関は、戸籍謄本類のコピーを保存することで原本を返却してくれるところが一般的です。

ですので、金融機関の数だけ戸籍謄本類を集めなくても、必要な戸籍謄本類が１セットあれば順番に金融機関で手続きを進めていくことができます。

しかし、それでも、金融機関が多数に及ぶ場合には、１か所ずつ手続きをしていくと全ての金融機関で手続きが終わるまで相当の時間がかかってしまうため、何とか同時に手続きを進めたいところです。

そのような需要にこたえる形で、平成 29 年 5 月 29 日から全国の法務局で「法定相続情報証明制度」が開始されました。

これは、法務局に戸籍謄本類や相続関係を一覧表にした「法定相続情報一覧図」を提出することで、登記官が認証文を付けた法定相続情報一覧図の写しを無料で発行してくれるという制度です。

この法定相続情報一覧図の写しは何通でも発行してもらえるため、複数の金融機関等で手続きをする場合でも、同時に手続きを進めることができ、時間や手間を節約することが可能になります。

証明の申出手続き

法定相続情報の申出ができるのは、被相続人の相続人、又はこの相続人から委任を受けた親族や専門家（弁護士・司法書士・土地家屋調査士・税理士・社会保険労務士・弁理士・海事代理士・行政書士）です。

申出にあたって必要な資料は、①被相続人の出生から死亡までの戸籍謄本類、②被相続人の住民票の除票、③相続人の戸籍謄本（戸籍抄本でも可能です。被相続人が死亡したよりも後に発行されたものである必要があります。）、④申出人の氏名・住所等を確認できる資料（免許証の写し、マイナンバーカードの写し等）となります。したがって、例えば、日本国籍を有しない人等は、①や②の戸籍謄本等を提出することができないため、残念ながらこの手続きを利用することはできません。

その他にも、法定相続情報一覧図に相続人の住所も記載してもらう場合には⑤各相続人の住民票が必要となり、親族や専門家に委任をする場合には⑥委任状等も必要となります。

次に、法定相続情報一覧図を作成します。代表的な場合の書式や記載例が法務局のホームページに掲載されています（書式4）。

この法定相続情報一覧図を作成する際には、戸籍謄本等に記載されている氏名・生年月日・死亡日等の情報を正確に記入してください。続柄の記載方法（「長男」、「二男」とするか、単に「子」とするか等）や相続人の住所を記載するか否かは選択をすることができますが、記載によっては、せっかく作成した法定相続情報が手続きに利用できないこともありますので、事前に手続きをする金融機関・官公庁等で確認をしておくのがよいでしょう。

必要な資料と法定相続情報一覧図の用意ができたら、法務局に対して法定相続情報証明の申出をします。申出先の法務局は、①被相続人の死亡時の本籍地、②被相続人の最後の住所地、③申出人の住所地、④被相続人名義の不動産の所在地のいずれかを管轄する法務局を選択することができます。

法務局の窓口に行って直接申出をするほか、郵送で申出をすることもできます。収入印紙や手数料を収める必要はありません。

この申出と同時に、必要な枚数の法定相続情報一覧図写しの発行を申請します。後日にさらに追加の一覧図写しが必要になった場合には、再交付の申請ができます。法務局には申出から５年間、法定相続情報一覧図が保存されていますので、この間は何度でも一覧図写しを発行してもらうことができます。

Check

法定相続情報証明制度は便利な制度であり、専門家が各種の相続手続きを行う際には積極的に利用されています。

申出の手続きは簡単であり、費用・手数料もかかりませんので、ご自身で相続手続きを行う場合にもぜひ積極的に活用することをお勧めします。

また、手続きの際には、法務局に行ったり、問合わせをしたりする場面も出てくると思いますので、不動産の相続登記等に関する相談をするよいきっかけにもなるはずです。

［書式 4］法定相続情報一覧図（法定相続人が配偶者と子 1 名の場合）

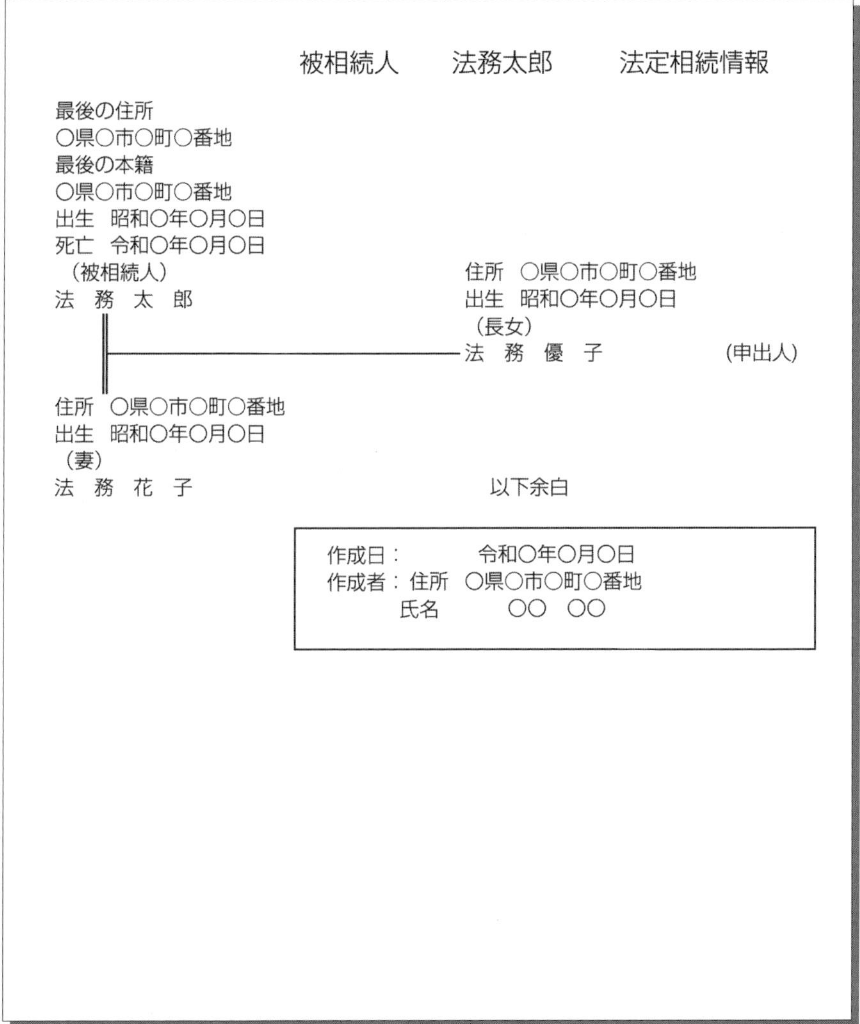

被相続人　法務太郎　法定相続情報

最後の住所
〇県〇市〇町〇番地
最後の本籍
〇県〇市〇町〇番地
出生　昭和〇年〇月〇日
死亡　令和〇年〇月〇日
（被相続人）
法　務　太　郎

住所　〇県〇市〇町〇番地
出生　昭和〇年〇月〇日
（妻）
法　務　花　子

住所　〇県〇市〇町〇番地
出生　昭和〇年〇月〇日
（長女）
法　務　優　子　（申出人）

以下余白

作成日：　令和〇年〇月〇日
作成者：住所　〇県〇市〇町〇番地
氏名　〇〇　〇〇

※法務局より

※法定相続情報一覧図は、A4 縦の用紙を使用してください。なお、下から約 5cm の範囲に認証文を付しますので、可能な限り下から約 5cm の範囲には記載をしないでください。紙質は､長期保存することができる丈夫なものにしてください。また､文字は、直接パソコンを使用し入力するか、または黒色インク、黒色ボールペン（摩擦等により見えなくなるものは不可）で、楷書ではっきりと書いてください。

Question

24

相続財産額を調査したい

父が先月死亡しました。遺産は、自宅、貸地、有価証券、預貯金等です。財産額について、どのように調査を進めればよいでしょうか。

相続財産の調査は、漏れなく正確に行う必要があります。そのために、原則としては一つ一つの財産につき証拠書類をそろえて確認することになります。

自宅および貸地の調査の方法

⑴ 不動産の「登記簿謄本」をみる

自宅の土地および建物、貸地については、登記簿謄本を法務局（登記所）で交付してもらいます。この登記簿謄本を確認することによって、土地の面積はどれくらいあるか、土地の所有者として父が登記されているか(共有となっていないか)、土地や建物に抵当権が設定されていないか等をチェックします。

この登記簿謄本は、相続税申告の際に土地の評価を算定する際にも必要であり、相続税の申告の添付資料ともなります。

⑵ 「固定資産税評価証明書」を取る

自宅の土地・建物と貸地についての固定資産税評価証明書を市町村役場で交付してもらいます。このとき、亡父の名寄せした固定資産税台帳を交付してもらうと、相続人が知らなかった不動産で亡父名義のものが発見されるかもしれませんので、交付を受けることをお勧めします。

⑶ 「公図」で確認する

公図とは、登記所に備えた旧土地台帳付属地図のことで、各筆の土地の位置、形状、境界、面積等の概略を知ることができます。登記簿謄本とともに、登記所で交付してもらい、所有土地のチェックを行います。

例えば、先代（祖父）からの所有土地の境界は、土地が崩れたり、水で流されたりして境界石が埋没したり動いたりしている可能性があります。場合によっては、土地家屋調査士に依頼して測量をし、現況と公図を合致させておく必要があります。境界を確認する場合は、必ず隣地の所有者の立ち会いが必要です。なお、公図も相続税申告資料として必要です。

⑷ 「路線価図」で土地の評価をする

通常、相続税算出に使用される土地の評価額は、路線価方式か倍率方式で算出されます。基本的には、市街化区域内では路線価方式を用い、市街化区域以外の土地では倍率方式を用います。所有土地が都市の市街地にあれば、通常、路線価を基に土地の評価の計算をします（計算方法その他はQ29参照）。

「有価証券」の残高証明書を発行してもらう

株式、社債、投資信託等の有価証券は、その取引金融機関で残高証明書（亡父の相続発生日現在）を発行してもらいます。それらと、自宅あるいは亡父の取引銀行の貸金庫等に保管している株券、預かり証、証書等の現物を確認します。なお、上場会社の株券については、平成21年1月5日に電子化が実施され、ペーパーの株券は廃止され、振替機関が電子的に振替口座簿で残高記録を管理しています。詳細は証券会社等に問い合わせてください。

「預貯金」の通帳等を収集する

亡父の取引金融機関に相続発生現在の残高証明書を発行してもらいます。また、亡父の預貯金の通帳、証書類を収集、調査します。

その他（債務の調査・葬式費用の整理）

亡父に債務があるかどうかは、相続人にとって大きな関心事です。家の金庫や引き出し、特にカード類を整理している財布は要チェックです。大きな債務としては住宅ローン、マイカーローン、学資ローンなどが挙げられます。このうち、とくに金額が大きい住宅ローンについては、「団体信用保険（団信）」に加入しているか、契約は有効に継続しているかを調べます。

銀行等の住宅ローンは、一定の年齢、健康状態が加入条件になっており、保険料は返済額に含まれています。この場合は、死亡時年齢が加入期間内であることを確認します。一方、住宅金融支援機構の住宅ローンは、「団体信用保険（団信）」への加入は自由です。返済の途中で保険料の納付を怠ると、「中途解約」とみなされて失効してしまいます。この保険には短期復活等の救済手段はありませんので、注意が必要です。

また、未払いの税金や水道光熱費、葬式費用に関する領収書類等も税務申告で必要（債務・葬式費用）になりますので、整理が必要です。

☛ Check

相続が発生すると、被相続人の遺産額を正確かつ迅速（相続税の申告期限は相続開始日から10ヵ月以内）に調査する必要があります。相続人全員が協力して調査し、必要に応じて専門家（税理士、司法書士等）に協力を仰ぐことも、再計算などの手間を省く上で有効でしょう。

Question

25

死亡保険金は相続財産となるか知りたい

夫が先月病死しました。私と夫の間に子どもはいません。夫の両親は他界していますが、夫には弟が1人います。夫が生前に生命保険に加入していて、死亡保険金1,000万円が支払われることが分かりましたが、事業の資金繰りに苦しむ義弟から夫の遺産分けについて、死亡保険金1,000万円を含めて話し合いたいといわれました。遺産は自宅と一定額の郵便貯金だけです。死亡保険金は相続財産となるのでしょうか。

Answer

生命保険金が相続財産となるかどうかは、保険金受取人として誰が指定されているかによって結論が違います。

質問のケースで言えば、契約者である夫が被保険者で、かつ受取人に指定されている場合には、夫は自分のために生命保険に加入していたことになります。その結果、生命保険会社に対する保険金請求権は夫の相続財産の中に含まれることになり、相続人間で遺産分割をする対象になります。

これに対して、保険金受取人として夫以外の者が指定されている場合には、夫はその自分以外の者のために生命保険に加入していたことになります。その結果、生命保険会社に対する保険金請求権は受取人に指定された者が固有の権利として取得することになり、相続財産には含まれないことになります。

したがって、受取人が妻と指定されている場合には、妻は自分固有の権利として保険金請求権を取得することになり、死亡保険金は相続財産とはならず、義弟の申出に応じる必要はありません。

特別受益としての精算

生命保険金は高額化していますので、生命保険金の請求権を受取人の固有の権利とし、相続財産には含まれないとすると、相続人間で著しく不公平な結論となってしまう可能性もあります。

そこで、この保険金請求権を特別受益として持戻しの処理を行うべきではないかという議論がかつてなされていましたが、最高裁判所の平成16年10月29日決定は、保険金請求権またはこれを行使して取得した死亡保険金は特別受益にはならないとしつつ、他の相続人との間の不公平が特別受益を規定した民法903条の趣旨に照らし到底是認できないほどの著しいものと評価すべき特別の事情が存在する場合には、同条の類推適用により死亡保険金請求権は特別受益に準じて持戻しの対象となると判示しています（持戻しはQ16参照）。

保険金受取人の変更

かつては、遺言によって保険金受取人の変更ができるかという点について議論になっていましたが、平成22年4月1日施行の保険法の44条、73条に「保険金受取人の変更は、遺言によってもすることができる。」と規定され、遺言による保険金受取人を変更することが認められました。

また、保険法は、上記に続いて「遺言による保険金受取人の変更は、その遺言が効力を生じた後、保険契約者の相続人がその旨を保険者に通知しなければ、これをもって保険者に対抗することができない」とも規定しています。

他者からは保険金受取人を変更した遺言が存在するかどうかは明確ではない中、保険者（保険会社）が保険金の二重払いを強いられたのではあまりに妥当ではない結論となるため、相続人からの通知があるまでの間は、保険会社は当初の保険金受取人に対して生命保険金を支払ってしまっても、その支払は有効となります。

☛ Check

生命保険金と特別受益について判断をした最高裁判所平成16年10月29日決定は、生命保険金が特別受益に当たるか否かの判断の際には「保険金の額、この額の遺産の総額に対する比率のほか、同居の有無、被相続人の介護等に対する貢献の度合いなどの保険金受取人である相続人及び他の共同相続人と被相続人の関係、各相続人の生活実態等の諸般の事情を総合考慮して判断すべき」としています。

経験上、生命保険金を特別受益として取り扱うことには、裁判所は比較的慎重な姿勢であると感じています。

質問のケースで言えば、妻と義弟との間で遺産分割の対象となる財産として自宅や一定額の郵便貯金が存在していますので、よほど特殊な事情がない限りは、生命保険金が特別受益として持戻しの対象となる可能性は低いのではないでしょうか。

Question

26

死亡退職金は相続財産となるか知りたい

夫は先月、持病が原因で死亡しました。私たち夫婦に子どもはいませんでしたが、夫の両親は健在です。

夫の死後、夫の勤めていた会社から、会社の退職金規程に従って、私に対して死亡退職金として 1,000 万円が振り込まれてきました。夫の両親からは「この死亡退職金のうち法定相続分の 1/3 の権利が自分たちにあるから欲しい」と言われています。死亡退職金は相続財産となるのでしょうか。

Answer

会社の退職金規程に配偶者が受取人と規定されていたので、死亡退職金は相続財産でなく、相談者の固有の財産となります。

したがって、夫の両親からの希望に応じる義務はありません。

勤務先の退職金規程に「死亡退職金は配偶者に対して支払う」と規定されているのであれば、死亡退職金は妻の固有の財産であり、相続財産とはなりません。

なお、「遺族に対して支払う」というあいまいな表現が用いられていた私立大学の死亡退職金の支給規程の下、死亡した職員の養子と内縁の妻のいずれが受給権者であるかが争われた事案で、裁判所は、生活保障の観点から内縁の妻を受給権者と認定した例があります。

勤務先の規程の表現がどのようになっているかについては注意が必要です。

死亡退職金の受取人は誰か

死亡退職金は、勤務先の退職金規程など（公務員の場合には法律）に基づいて、受取人として定められている受給者に対して支払われるものであって、従業員本人が勤務先から受け取るものではありません。

したがって、死亡退職金は、相続財産とはならず、最高裁判所も「死亡退職金の受給権は相続財産に属しない」と判断しています。

これに対して、従業員が生前に退職し、すでに通常の退職金請求権を取得していて、その後に死亡した場合には、その退職金請求権は他の財産と同様に従業員の相続財産として、遺産分割の対象になります。

Check

死亡退職金が相続財産にはならないとしても、特別受益として持戻しの対象となるかという点は、また別の議論となります。

死亡退職金の支給は、被相続人からの遺贈や贈与には該当しないことから、特別受益としても持戻しを否定するのが一般的な見解ですが、裁判例の中には肯定をしたものと否定をしたものの両方が存在します。

建前論は上記の整理したとおりですが、特別受益の持戻しと同様の観点から、相続人間で柔軟な調整をし、その後の生活保障を図るのがよい場合もありますので、深刻な場合では専門家に相談をすることをお勧めします。

Question

27

相続税の基礎控除について知りたい

父が他界しました。相続人は母、私と兄（兄は相続放棄）、養子２人です。相続税の基礎控除額はいくらでしょうか。

法定相続人は、母、あなた、兄と養子１人の４人となりますので、基礎控除額は「3,000万円＋(600万円×４人)＝5,400万円」となります。

基礎控除とは

相続税では、相続人の人数や相続財産の金額、あるいは遺産の種類などに関係なく、一定の非課税枠が設けられており、これを「基礎控除」といいます。

基礎控除額 ＝ 3,000 万円 ＋ （600 万円×法定相続人の数）

相続を放棄した相続人がいる場合

相続人が相続放棄したとしても、基礎控除額を算出する場合には相続放棄は無かったものとみなして上記算式中の法定相続人の数に含めることができます。

養子の取り扱い

被相続人に養子がいる場合には、実子の有無によって取扱いが異なります。

①被相続人に実子がいる場合は、被相続人の養子のうち１人を法定相続人の数に含めることができます。

②被相続人に実子がいない場合には、被相続人の養子のうち２人を法定相続人の数に含めることができます。

なお、特別養子縁組による養子については実子とみなされますので、上記のような制限はありません。また、税の負担を不当に減少させる（租税回避）目的のための養子と認められるときは、この法定相続人の数から除外されることがあります。

Check

相続人が相続放棄した場合や養子がいる場合には基礎控除額を算出する際に注意が必要ですので、間違いのないようにしましょう。税制改正にもご注意ください。

Question

28

相続財産の評価方法を知りたい

父が他界しました。遺産は、自宅の土地建物や信用金庫の定期預金及び普通預金などです。相続税申告の際の評価はどうなりますか。

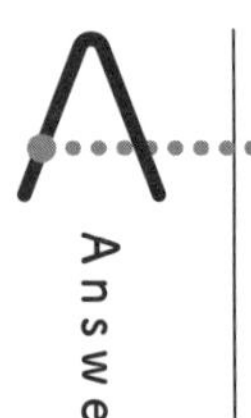

相続によって取得した財産の評価は、相続開始時（被相続人の死亡日）の時価で評価することが原則となります。

遺産分割は財産の価額を基準に行いますが、相続税申告の際に用いる財産の評価額は、課税の公平を図る観点から、国税庁の定める「財産評価基本通達」によることとされています。そのため、一般的な相場と相続税評価額とでは異なった評価額になることもあります。相続税申告の際における財産の評価には相当の専門知識が要求されるうえ、非常に厄介です。申告に際しては税理士など専門家の力を借りるのが無難でしょう。

質問のケースの場合

各財産の種類・用途などに応じて評価方法がそれぞれ異なります。図表7を参照してください。

［図表7］相続財産の評価方法（「財産評価基本通達」より抜粋・要約）

財産の種類		評価方法
預貯金・動産	現金・預貯金	・定期預金…………亡くなった日の預金残高に利息を加算した金額 ・定期預金以外……亡くなった日の残高
	自動車・機械	相続開始日において売却した場合の価額により評価します。
	書画・骨董品	全部（人数により均分）

財産の種類		評価方法
不動産	上場株式	次の４つの価額のうち最も低い価額により評価します。 ①相続開始日の終値 ②課税時期の月の毎日の最終価格の平均額 ③課税時期の月の前月の毎日の最終価格の平均額 ④課税時期の月の前々月の毎日の最終価格の平均額
	取引相場の無い株式	相続や贈与などで株式を取得した株主が、同族株主かそれ以外の株主等かの区分で、それぞれ原則的評価方式または特例的な評価方式の配当還元方式により評価します。
	投資信託	課税時期において解約請求又は買取請求を行ったとした場合に証券会社などから支払いを受けることができる価額により評価します。
	土地	原則、宅地、田、畑、山林などの地目ごとに評価します。 ①路線価方式 路線価が定められている地域の評価方法です。路線価とは、路線（道路）に面する標準的な宅地の１㎡当たりの価額で、路線価図には千円単位で表示されています。 ②倍率方式 路線価が定められていない地域の評価方法です。倍率方式における土地の価額は、その土地の固定資産税評価額に一定の倍率を乗じて計算します。
	家屋	固定資産税評価額によって評価します。
生命保険契約に関する権利		相続開始時に、その契約を解約するとした場合に支払われる解約返戻金の額によって評価します。
ゴルフ会員権		課税時期の取引価額（時価）の 70%で評価します。
電話加入権		取引相場がある場合は取引価額、取引価額がない場合は国税局長が定める標準価額で評価します。
特許権・著作権		将来受け取る予定の補償金や印税の額などから考慮して評価します。

※上記評価方法は、執筆時の法令と一般的な事例に基づき掲載しています。法改正等がある場合や個別具体的な事案には相当しない場合がありますのでご注意ください。

Check

相続財産の評価は、各財産の種類や用途などによってそれぞれ評価方法が異なります。特に土地の評価などは複雑で難解です。余計な税金を払うことが無いように有利な評価方法を選択するためには税理士など専門家への相談が不可欠です。

Question

29 土地の評価基準について知りたい

そろそろ相続税のことが気にかかる年齢になりました。相続税申告の際に土地の評価がどのようになるのか、評価基準について教えて下さい。

相続財産の中でも、特に土地の価格が占める割合が非常に高くなるケースが多いです。一般に土地の価格は「一物四価」といって、①実勢価格、②公示価格、③路線価、④固定資産税評価額、の４つの価格があります。相続税申告の際には、原則として路線価を使用して評価することとなります。ちなみに、上記４つの価格に⑤基準地価を加えて「一物五価」ということもあります。

［図表 7］土地の評価基準（一物五価）

	評価機関	評価基準日	公表時期	内容
実勢価格	–	–	–	市場において成立しているマーケットプライス
公示価格	国土交通省	毎年１月１日現在	３月下旬	土地取引の公的な指標
基準地価	都道府県	毎年７月１日現在	９月下旬	公示価格を補足する指標
路線価	国税庁	毎年１月１日現在	７月上旬	相続税や贈与税申告時の評価基準
固定資産税評価額	市区町村	３年ごとに評価	３月中旬	固定資産税、登録免許税、不動産取得税の算定に用いられる評価額

質問のケースの場合

相続時において土地の評価額を算定する際は、通常「路線価方式」で評価します。路線価は、土地が接する（面する）道路について1㎡当たりの価額（千円単位）が付されています。単純に、評価する土地が一つの道路だけに面している正方形の土地であれば、この路線価に土地の面積を乗じた価額がその土地の相続税評価額となります。

しかし、土地の形状は複雑な場合が多く、間口が狭いもの、奥行きが長いもの、不整形のもの、崖地に面しているものなど様々です。そこで、路線価を基準として、評価する土地の形状や道路との関係、種類や用途等を考慮して個別に評価することとなります。

ところで、日本全国すべての道路に路線価を設定することは現実に不可能です。よって路線価は全国の主要な市街地の道路にしか設定されていません。そこで、路線価のない土地を評価する際には、路線価の代替として固定資産税評価額に一定の倍率を乗じる「倍率方式」を用いることとなります。（Q28 参照）

Check

相続税申告時においては土地の評価が最も重要です。土地の評価額により相続税額が大きく変わりますし、また、遺産分割協議にも多大な影響を与えます。土地の評価は非常に複雑なため、相続に詳しい税理士に評価依頼することが肝要です。

Question

30 非上場株式の評価について知りたい

父は中小企業のオーナー社長です。全財産を会社に注ぎ込んでいるので、父に万一のことがあった場合の相続財産は抵当権付きの自宅と自社の非上場株式のみです。資金繰りが厳しいので相続税が心配です。非上場株式の評価について教えて下さい。

Answer

相続時における中小企業の株式(非上場株式・取引相場のない株式)は、相続や贈与によって株式を取得した株主が、その株式を発行した会社の経営支配力を持っている同族株主か、それ以外の株主等かの区分により、それぞれ原則的評価方式または特例的な評価方式である配当還元方式により評価することとなります。

なお、経営支配力の判定指標には、議決権割合を用います。

原則的評価方式

(1) 類似業種比準方式

評価会社と事業内容が類似する上場株式の株価を基準として、評価会社と類似業種の1株あたりの配当金額、利益金額、純資産価額の3つの要素を比較して計算した割合を乗じて評価する方法です。

(2) 資産価額方式

評価会社が仮に解散した場合に株主に分配されるであろう正味の財産の価値で評価する方法です。この場合の資産の評価額は相続税評価額に基づき評価を行うことになります。すなわち、会社が所有する資産を相続税評価額により評価した価額の合計額から、負債の金額の合計額および評価差額に対する法人税等に相当する金額を差し引いた金額を、発行済株式総数で除して求めた金額により評価する方法です。

⑶　⑴⑵の併用方式

併用方式は上記の類似業種比準価額及び純資産価額を会社規模に応じた割合により評価額を計算する方法です。

特例的評価方式

⑷　配当還元方式

その株式を所有することによって受け取る1年間の配当金額を、一定の利率（10%）で還元して、元本である株式の価額を評価する方法です。配当還元方式によって、算出される株式の評価額を配当還元価額といいます。

以上のように、非上場株式の評価は、まず会社に対する経営支配力や会社の規模により、原則的評価方法か特例的評価方法かに分かれます。

[図表9]　非上場会社の会社規模別による株式評価方式の目安

会社規模	従業員数	売上高	評価方式
大会社	70人以上	20億円以上	類似業種比準方式 （純資産価額方式との選択可）
中会社	70人未満	6,000万円超 20億円未満	併用方式 （類似業種比準方式と純資産価額方式）
小会社	5人以下	6,000万円未満	純資産価額方式 （併用方式を選択可）

※上記はおおよその目安です。業種等により会社規模の詳細な判定は異なります。

非上場会社の株式といっても、その株式を所有する株主の持株数等によって価値が異なります。例えば、会社オーナーのような支配（同族）株主は、その会社の株式の大部分を所有し、その所有を通じて会社を支配しているので、その所有株式には「会社支配権」としての価値があります。一方、同族以外の役員や従業員などが少数の株式を所有している場合は、その人にとってのメリットは会社から配当をもらえることだけです。その所有株式には「配当期待権」の価値しかありません。

Check

節税対策としての株価引き下げのためには、利益の圧縮、配当の引き下げ、役員退職金の支給など様々な方法があります。また、一般的には純資産価額方式による株価は類似業種比準方式による株価に比して高くなる傾向がありますので、類似業種比準方式が適用されるように会社区分を変更する対策をすることもあります。

Question

31

相続税を計算したい

父が他界しました。相続人は、母、長男の私と弟の３人です。遺産およびそれを相続する者が次表の場合、相続税はいくらになるでしょうか。

財産の種類	相続税評価額	相続する者
預貯金	2,500 万円	妻
生命保険	500 万円※1	妻
自宅土地	5,000 万円※2	妻
自宅建物	1,000 万円	妻
上場株式	4,000 万円	長男・次男　各 1/2
借入金・葬式費用	1,000 万円	妻

※１　非課税枠を控除後（500 万円×法定相続人の数）
※２　小規模宅地の特例適用後（評価減後）の金額とします。

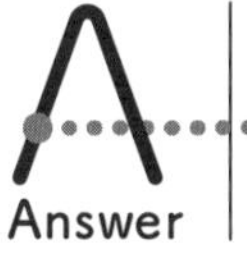

相続税の総額は 960 万円で、これを各相続人で分担することになります。計算の流れは、①課税遺産総額の計算、②相続税の総額を計算、③各相続人の税額を計算、の３段階です。

相続税の計算の流れは大きく以下の３段階になっています。

以下、現行税制（平成 27 年１月１日以後に開始する相続）に基づいて相続税額を計算してみます。

課税遺産総額を計算する

(1)　遺産総額を把握して各人の課税価格を算出する

まずは相続税の対象となる財産を把握し、その評価を行います。質問のケースでは上表のとおりです。次に各相続人が相続や遺贈で取得した財産の価額の合計額（課税価格）を算出します。

妻　預貯金 2,500 万円 ＋ 生命保険 500 万円 ＋ 自宅土地 5,000 万円 ＋ 自宅建物 1,000 万円 － 借入金・葬式費用 1,000 万円 ＝ 8,000 万円（課税価格）

長男　上場株式 4,000 万円× 1/2 ＝ 2,000 万円（課税価格）

次男　上場株式 4,000 万円× 1/2 ＝ 2,000 万円（課税価格）

各人の課税価格の合計　＝　12,000 万円

(2) 基礎控除額を計算する

法定相続人の数を確認し、基礎控除額を算出します。

3,000 万円 ＋ 600 万円 × 法定相続人 3 人 ＝ 4,800 万円（基礎控除額）

(3) 課税遺産総額を計算する

各人の課税価格の合計から基礎控除額を差し引いて課税遺産総額を求めます。

12,000 万円－ 4,800 万円＝ 7,200 万円（課税遺産総額）

相続税の総額を計算する

課税遺産総額を算出したら、これを各相続人が法定相続分に応じて取得したものと仮定して相続人ごとの取得財産価額を求め、これに対する相続税額を計算します。

妻　課税遺産総額 7,200 万円×法定相続分 1/2 ＝ 3,600 万円
3,600 万円× 20% － 200 万円＝ 520 万円（相続税額）

長男　課税遺産総額 7,200 万円×法定相続分 1/4 ＝ 1,800 万円
1,800 万円× 15% － 50 万円＝ 220 万円（相続税額）

次男　課税遺産総額 7,200 万円×法定相続分 1/4 ＝ 1,800 万円
1,800 万円× 15% － 50 万円＝ 220 万円（相続税額）

相続税の総額＝ 960 万円

[図表10] 相続税の税額速算表

法定相続分に応ずる取得金額	税率	控除額
1,000万円以下	10%	−
1,000万円超　3,000万円以下	15%	50万円
3,000万円超　5,000万円以下	20%	200万円
5,000万円超　1億円以下	30%	700万円
1億円超　2億円以下	40%	1,700万円
2億円超　3億円以下	45%	2,700万円
3億円超　6億円以下	50%	4,200万円
6億円超	55%	7,200万円

各相続人の税額を計算する

(1) 各人の相続財産の取得割合

妻　8,000万円÷12,000万円＝0.66

長男　2,000万円÷12,000万円＝0.17

次男　2,000万円÷12,000万円＝0.17

※上記の計算上、小数点第2位未満の端数があるときは、合計で1になるようにします。

(2) 各人の相続税額

妻　960万円×0.66 ＝ 633.6円

長男　960万円×0.17 ＝ 163.2万円

次男　960万円×0.17 ＝ 163.2万円

(3) 各人の納付額

妻　633.6万円－640万円＝△6.4万円　→　0円※

長男　76.5万円

次男　76.5万円

※配偶者の税額軽減額（Q32参照）

課税価格の合計額における配偶者の法定相続分（1/2 = 6,000万円）と16,000万円のいずれか多い方の金額と配偶者の相続税の課税価格（8,000万円）とのいずれか少ない額。

相続税の総額　960万円　×　8,000万円（配偶者の課税価格）／12,000万円（課税価格合計額）　=　640万円

Check

課税価格が基礎控除以下である場合には相続税はかかりませんし、相続税の申告も必要ありません。ただし、小規模宅地等の特例を適用した後に課税価格が基礎控除以下となる場合には、遺産分割の完了と相続税の申告が要件となるため注意が必要です。

Question

32

相続税にかかる各種税額控除を受けたい

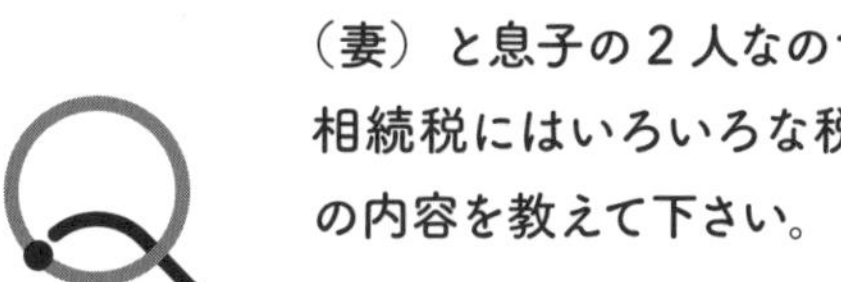

夫が他界して遺産を相続することになりました。相続人は私（妻）と息子の２人なので、相続税を払うことになりそうです。相続税にはいろいろな税額控除があると聞きましたので、その内容を教えて下さい。

Answer

相続税の計算には次の６つの税額控除があります。税額控除が適用される場合は、算出された相続税の額からその分を控除することができます。

贈与税額控除

贈与税額控除とは、贈与税と相続税の二重課税を防止するために設けられている規定です。

①相続または遺贈により財産を取得した人が、その相続開始前３年以内に被相続人から贈与により取得した財産は相続税の対象として課税されます。しかし、既に支払った贈与税については相続税から控除することができます。

②相続時精算課税制度を利用した場合に、非課税枠（2,500万円）を超えて贈与を受けた分に対して支払った贈与税額についても同様です。なお、この場合に納税すべき相続税額がなければ既に支払った贈与税額は還付されます。なお、相続開始の年の贈与に関しては、贈与税ではなく相続税の対象になります。これは、贈与税は暦年課税（１年単位の申告）のため、

相続のあった年は贈与税の申告が済んでいないためです。

配偶者控除（配偶者の税額軽減）

相続または遺贈により財産を取得した人が被相続人の配偶者である場合、配偶者が実際に取得した相続財産（正味の遺産額）が、次の金額のどちらか多い金額までは配偶者に相続税はかかりません。

①1億6,000万円

②配偶者の法定相続分相当額

なお、この配偶者の税額軽減は、配偶者が遺産分割などで実際に取得した財産を基に計算されることになっているため、相続税の申告期限（10カ月以内）までに配偶者に分割されていない財産は税額軽減の対象にならないので注意が必要です。ただし、相続税の申告書に「申告期限後3年以内の分割見込書」を添付した上で、申告期限までに分割されなかった財産について申告期限から3年以内に分割したときは、税額軽減の対象になります。

未成年者控除

相続または遺贈により財産を取得した人が未成年者（満20歳未満）の場合は、その未成年者が20歳に達するまでの年数1年につき10万円が控除されます。なお、20歳に達するまでの1年未満の端数は1年として計算します。

未成年者控除額 ＝ 10万円 × （20歳 － 相続開始時の年齢）

障害者控除

相続または遺贈により財産を取得した人が障害者の場合には税額控除があります。

①法定相続人が一般障害者の場合には、対象者の年齢が満85歳になるまでの年数1年につき10万円が控除されます。

一般障害者控除額 ＝ 10万円 ×（85歳 － 相続開始時の年齢）

②特別障害者の場合には、対象者の年齢が満85歳になるまでの年数1年につき20万円が控除されます。

特別障害者控除額 ＝ 20万円 ×（85歳 － 相続開始時の年齢）

なお、85歳に達するまでの1年未満の端数は1年として計算します。

相次相続控除

相次相続とは、相次いで相続が発生することをいいます。すなわち、短期間に相次いで相続があった場合における相続税の過重負担を防ぐための控除が設けられています。

具体的には、10年以内に2回以上の相続が発生した場合で、前後の相続のいずれにも相続税が課せられた場合に、前の相続時に納付した相続税の一定割合が後の相続時の相続税額から控除されます。

外国税額控除

相続により取得した財産が国外（海外）にある場合、その財産について相続税に相当するものが国外で課税されている場合は、国際的な二重課税を防止する観点から、国外で課された相続税に相当する税額が控除されます。

Check

税額控除は相続税額そのものから差し引かれるため、減税（節税）効果が大きくなります。見落としのないように十分に注意しましょう。

Question

33

みなし相続財産の課税について知りたい

死亡保険金や死亡退職金は相続財産とはならないという話を聞いたことがありますが、私の顧問税理士によれば死亡保険金や死亡退職金には相続税がかかるとのことです。内容を詳しく教えて下さい。

Answer

死亡保険金や死亡退職金は本来の相続財産ではありません。これらは、民法上は亡くなった人の財産ではなく、死亡によって契約上受取人に指定された人が受け取る固有の財産ですので相続財産ではありません。

しかし、相続税法上は、これらを相続財産とみなして相続税を課すこととしており、これを「みなし相続財産」といいます。すなわち、民法上の本来の相続財産ではないが、被相続人の死亡を原因として相続人のもとに入ってきた財産を、税法上「みなし相続財産」として扱うものです。

このように、相続財産は民法と税法とでその判断や取扱が異なることがありますので注意が必要です。

みなし相続財産の例

・死亡保険金（生命保険金、損害保険金）

・死亡退職金、功労金、弔慰金

・生命保険契約に関する権利

・定期金に関する権利

・遺言によって受けた利益（借金の免除など）
・相続時精算課税制度の適用を受けて贈与された財産
・被相続人が死亡する前3年以内に贈与された財産　　など

(1) 死亡保険金（生命保険）の場合

死亡保険金を受け取った場合の課税関係は、被保険者（保険の対象者）、保険契約者（保険料の支払者）、保険金受取人のそれぞれが誰であるかによって異なります。相続税の対象となる生命保険金については、「500万円×法定相続人の数」の部分が相続税の非課税財産とされています。なお、法定相続人には相続放棄した人を含みますので注意が必要です。また、この非課税の規定は相続人でない人が取得した死亡保険金には適用されません。

生命保険金の非課税限度額　＝　500万円 × 法定相続人の数

[図表11]

被保険者	契約者	保険金受取人	税金の種類
夫 （被相続人）	夫 （被相続人）	妻 （相続人）	相続税（非課税枠あり） ※みなし相続財産
	夫 （被相続人）	A （相続人以外）	相続税（非課税枠なし） ※みなし相続財産
	子	子	所得税（一時所得）
	妻	子	贈与税

(2) 死亡退職金の場合

死亡退職金のうち、みなし相続財産とされるのは被相続人の死亡によって支給される退職手当金、功労金などで、被相続人の死亡後3年以内に支給が確定したものです。

なお、退職金や功労金などは、法定相続人1人につき500万円までが非課税限度額となり、各相続人の非課税額も死亡保険金と同様に計算します。

死亡退職金の非課税限度額　＝　500万円 × 法定相続人の数

Check

非課税限度額「500万円×法定相続人の数」を控除できるのは相続人だけです。内縁の妻や相続人でない孫は含まれません。また、相続放棄した人も非課税の適用を受けることができません。これに対して、非課税限度額を計算する際の法定相続人の数には、相続を放棄した人も含まれます。混同しないように注意して下さい。

Question

34

相続税が払えそうにない場合の対策（延納と物納）を教えてください

父が高齢で他界しました。我が家は代々続く古い家柄で、家屋敷は広く田畑もありますが、お金がありません。相続税の支払方法についてアドバイスを下さい。

相続税は、納付期限までに金銭で一括納付することが原則です。ただし、相続財産が不動産や自社株などで占められている場合など、相続税を支払う資金繰りの都合がつかない場合には、一定の要件を満たすことを前提として、例外的な納付方法である「延納」または「物納」が認められます。

延納の要件

相続税を現金一括納付することが困難な場合に、分割して納めることを延納といいます。延納の要件は次のとおりです。なお、全ての要件を満たす必要があります。

①相続税額が10万円超であること。

②金銭一括納付が困難な事由があり、かつ、その納付を困難とする金額として一定の方法により計算した金額の範囲内であること。

③延納申請書及び担保提供関係書類を申請期限までに提出すること。

④延納税額に相当する担保を提供すること。（延納税額が100万円以下で、かつ、延納期間が3年以内である場合は担保提供は不要です）

物納の要件

相続税を現金で支払う代わりに土地や株式等で相続税を納めることを物納といいます。物納の要件は次のとおりです（全ての要件を満たす必要があります）。

①延納によっても金銭で納付することを困難とする事由があり、かつ、その納付を困難とする金額として一定の方法により計算した金額を限度としていること。

②物納申請財産が、法令等で定められた種類の財産であり、かつ、法令等で定められた順位によっていること。

③申請書及び物納手続関係書類を申請期限までに提出すること。

④物納申請財産が物納適格財産であること。

物納に充てることのできる財産は、納付すべき相続税の課税価格計算の基礎となった相続財産のうち、図表12に掲げる財産（相続財産により取得した財産も含みます。）及び順位で、その所在が日本国内にあるものに限ります。

［図表12］物納することのできる財産の種類

物納順位	物納することのできる財産の種類
第1順位	①不動産、船舶、国債証券、地方債証券、上場株式等 ②不動産及び上場株式のうち物納劣後財産に該当するもの
第2順位	③非上場株式等 ④非上場株式のうち物納劣後財産に該当するもの
第3順位	⑤動産

延納から物納への切替（特定物納制度）

延納の許可を受けた相続税額について、その後の状況変化等により延納による納付が困難となった場合には、申請により物納への変更が認められる場合があり、これを特定物納制度といいます。なお、変更できるのは相続税の申告期限から10年以内で、かつ、分納期限が未到来の税額部分に限ります。

この特定物納を申請した場合には、物納財産を納付するまでの期間に応じて、当初の延納条件による利子税を納付します。また、特定物納に係る財産の収納価額は、特定物納申請時の価額となります。

Check

物納の場合は、相続時の評価額で納税（物納）できるというメリットがあるため、地価の下落や株の暴落時など、被相続人の死亡後に相続財産の価値が急落したような場合には、物納の方が得になるケースがあります。

ただし、どんな財産でも物納できるわけではありません。税務署が物納を認める適格財産の要件は厳しいので、物納を選択する場合には事前に税理士や税務署とよく相談することが重要です。

Question

35

相続税の2割加算について知りたい

相続税が2割増しとなるケースがあると聞きましたが、どのようなケースでしょうか。

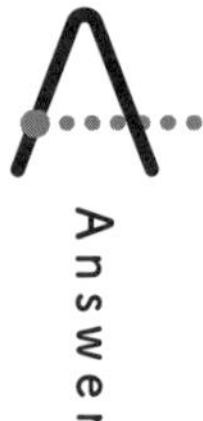

相続または遺贈により財産を取得した人が、被相続人の配偶者および一親等の血族以外の人である場合は、その人の相続税額（税額控除前の税額）にその相続税額の2割相当額を加算することとなっています。

すなわち、子どもを飛び越して孫が遺贈を受けたり、被相続人の養子になった孫あるいは兄弟姉妹などが相続した場合には、相続税額が2割加算される制度です。例えば、兄弟姉妹や孫は二親等ですから2割加算の対象となります。ただし、代襲相続人として相続した孫には加算されません。

2割加算制度の意図は、孫が財産を取得すると相続税を1回免れることや、相続人でない人が財産を取得するのは偶然性が高いこと、被相続人から比較的遠い血族関係にある相続人には相続税の負担を重くすべきであるなど、相続税の負担調整を図る政策的な理由によるものであるとされています。

Check

孫養子（被相続人の孫を養子としているケース）にもこの2割加算が適用されることとなっています。相続税の申告に当たっては、孫養子（2割加算適用）と代襲相続人である孫（2割加算不適用）とを混同しないよ

うに注意して下さい。

[図表 13] 親等

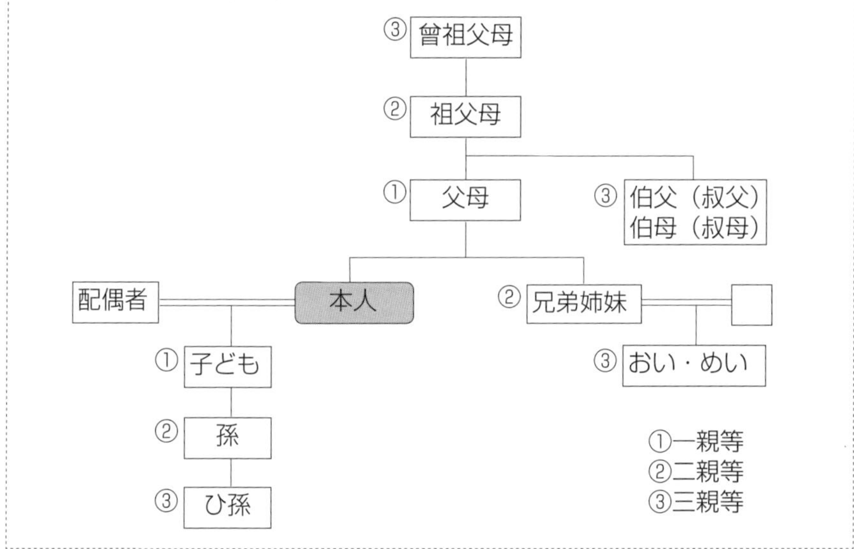

Question

36

死亡保険金の一部を子どもに分けた場合の税金について知りたい

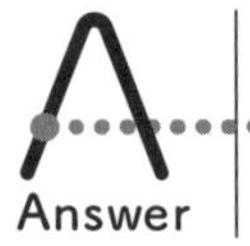

夫の死亡により私（妻）が死亡保険金を受け取りました。子どもにはまだマンションの住宅ローンが残っているので、保険金の一部を返済用にと思い分け与えました。この場合は贈与税の対象になるのでしょうか。

Answer

質問のケースにおける死亡保険金は受取人である妻固有のものですから、妻から子へ分け与えると贈与税の対象となります。

夫が保険契約者かつ被保険者で受取人が妻という一般的なケースの場合、妻の有する保険金請求権は、契約の当初から（途中変更でも可）保険契約に基づいて定められているものです。よって、この保険金請求権は相続によって取得するものではなく、妻（保険金受取人）固有の財産であり、相続財産とはなりません（ただし、相続税法上は「みなし相続財産」となります。Q33参照）。

したがって、妻が受け取った死亡保険金を子どもたちへ分け与えた場合は、相続税ではなく贈与税の対象となります。ただし、贈与となる場合であっても、必ずしもすべてに贈与税が課されるわけではありません。次のいずれかの非課税対象枠以内であれば贈与税を支払う必要はありません。

(1) 贈与税の基礎控除

通常の贈与では、年間贈与額110万円までは非課税となります。

(2) 相続時精算課税制度の選択

60 歳以上の親から満 20 歳以上の子や孫に対する贈与については、2,500 万円まではその時点で贈与税が課されずに、相続時に他の遺産とあわせて相続税として一括して精算する制度です。なお、2,500 万円を超えた分については一律 20%の贈与税が課されます。

ただし、この制度を適用した後は①の年間 110 万円の基礎控除は利用できなくなるため、選択適用する場合にはメリット・デメリットについて十分に検討することが必要です

上記の他にも、例えば住宅取得資金贈与の特例などがあり、制度を上手に利用することによって贈与税が課されないよう工夫することができます。これらの特例は時限立法であることがほとんどですので、制度の利用については専門家へ相談して下さい。

Check

子どもの生活費や養育費、教育費などに充てるために仕送りした場合や結婚資金の一部を出してあげた場合などは、社会通念上妥当な金額であれば贈与税はかからないこととなっています。

Question

37

農業相続人の相続税の特例について知りたい

親の農地を相続することになりました。引き続き農業を営むつもりですが、相続税についての不安があります。

農地を相続した人（農業相続人）には、農業を続けていくことを条件に納税猶予の特例があります。これは、相続に伴って農地が減少するのを防止するために農業者の相続税負担を軽減する目的で設けられている制度です。

具体的には、相続人が、農業を営んでいた被相続人から農地等（耕作権を含む）を相続して農業を継続する場合には、農地等の価額（相続税評価額）のうち農業投資価格※1による価額を超える部分に対応する相続税額については、その相続した農地等について相続人が農業を営んでいる又は特定貸付け※2を行っている限り、その納税が猶予されるものです。なお、猶予される相続税額を「農地等納税猶予税額」といいます。

さらに、この農地等納税猶予税額は、次のいずれかに該当することとなった場合には、その納税が免除されます。

①特例の適用を受けた相続人が死亡した場合

②特例の適用を受けた相続人が相続税の申告期限から20年間農業を継続した場合（市街化区域内農地等のみ）

③特例の適用を受けた相続人が、この特例の適用を受けている農地等の全部を農業後継者に一括生前贈与し、その贈与税について納税猶予の

特例を受ける場合

なお、特例を受けた農地を譲渡や農地以外へ転用したり農業経営を廃止するなどして農業を営まなくなった場合には、猶予されていた相続税額を利子税とともに納付することとなりますので注意が必要です。

※１農業投資価格とは、農地等が恒久的に農業の用に供されるとした場合に通常成立すると認められる取引価格として所轄国税局長が決定した価格をいいます。

※２特定貸付けとは、農業経営基盤強化促進法の規定による一定の貸付けをいいます。

Check

農地を細分化すると農業経営を続けることが困難です。そのため、通常は相続人の１人が農地の全てを引き継ぐことが多く、他の相続人の相続分に大きな影響を与えます。被相続人の生前から生命保険を活用するなどの対策が必要です。

Question

38

借地権の相続について知りたい

父と一緒に生果店を営んでいます。自宅の1階部分が店舗で、土地は父名義の借地です。最近、父が著しく体調を崩しており、万が一の場合に借地権がどのような取り扱いとなるのかが不安です。

Answer

賃貸借契約に基づいて貸借人が目的不動産を使用収益できる権利を貸借権といいます。このうち、借地権とは、建物の所有を目的とするために他人の土地の上に設定された貸借権や地上権のことをいい、この権利は借地借家法により保護されています。

借地権は、権利として財産的価値があるため相続の対象となります。その相続税評価は、財産評価基本通達により「更地の評価額×借地権割合」で評価されます。ちなみに、都市部における借地権割合は７割程度であることが一般的です。

相続の際は､被相続人の法律上の地位がそのまま相続人に承継されます。よって、被相続人の借地権者としての地位は相続開始の際の現状においてそのまま相続人に承継されることとなります。この場合、承継に際して地主の承諾は不要で、相続人は名義書換料を支払う必要もありません。この点は、借地上の建物を第三者に対して譲渡する場合には必ず地主の承諾が必要となることとは異なります。

定期借地権に注意

相続した借地権が定期借地権の場合には注意が必要です。定期借地権とは、契約期間の満了とともに、建物を取り壊して更地にして返還する必要がある借地権のことで、契約期間の延長がなく、立退料の請求もできません。

定期借地権も当然に相続することができますが、既述のとおり契約期間が満了すると同時に借地権は消滅し、建物を解体して土地を地主に返さなければなりません。念のため、父親と地主との間で交わされた当初の契約書を調べてみるとよいでしょう。

Check

借地人（借地権者）の死亡を知った地主から、相続人に対して賃貸借契約書の名義書換や名義書換料の支払いを要求してくるケースも散見されるようですが、契約書名義の書換えや名義書換料支払の法的な義務はありません。

Question

39

相続税を期限内に申告しなかった場合はどうなりますか

父が亡くなり相続が発生しました。相続人は母と兄と妹である私の３人です。昔から母と兄との折り合いが悪く、なかなか遺産分割協議がまとまらないため、相続税の申告期限に間に合いそうもありません。期限内に申告をしないと、何か罰則があるのでしょうか。

Answer

相続税の申告期限は、相続の開始を知った日の翌日から10カ月以内と定められており、この申告期限までに申告をしなかった場合や相続税の納付をしなかった場合には、本来の税金のほかに加算税や延滞税などペナルティとしての税額が課される場合があるので注意が必要です。

相続税の申告期限はいつまでか

亡くなった方の遺産総額が基礎控除額（Q32参照）を超える場合には、相続税の申告義務が発生します。既述のとおり、相続税の申告期限は、相続の開始を知った日の翌日から10カ月以内と定められており、この期限までに申告と納税をする必要があります。

なお、「相続の開始を知った日」とは被相続人が死亡した日のことではないので注意が必要です。あくまでも「相続の開始を知った日」ですので、相続人が複数いる場合には、それぞれの相続人が相続の開始のあったことを知った日から10カ月以内が申告期限となり、相続人によって申告期限が異なる場合もあるということです。

相続税の無申告にかかるペナルティ

相続税を期限までに申告・納付しない場合には、原則として次の３つの税額がペナルティとして課されることとなるので注意が必要です。

⑴ 無申告加算税

申告期限までに相続税申告をしなかった場合には、原則として無申告加算税が課されます。この無申告加算税は、どのタイミングで期限後申告を行うかによって税率が変わります。具体的には、期限に遅れても自主的に申告をした場合には5%の税率となりますが、税務署から無申告であることを指摘された後に申告をした場合には15%の税率（納付税額が50万円を超える部分に対しては20%）となります。ちなみに、申告が遅れたとしても、期限から１カ月以内に申告した場合で一定の要件を満たす場合には無申告加算税が課されない場合もあります。

⑵ 延滞税

相続税が発生する場合で、申告期限までに税金を納めなかった場合には、延滞税が課されます。これは、税金の納付を遅延したことによる利息のようなもので、本来の納付期限の翌日から実際に相続税を納付した日までの日数に応じて計算されます。

⑶ 重加算税

相続税を免れるために、故意に相続財産を隠したり証拠書類を偽装したりするなど、いわゆる「隠蔽」「仮装」を行ったような悪質な場合には、重加算税が課されます。

そもそも無申告であった場合には相続税額の40%の重加算税が課されます。また、仮に期限内に申告を行っていた場合でも、重加算税の対象となるような悪質な場合には35%の税率が課されます。さらに、過去5年以内に相続税で無申告加算税または重加算税を課されたことがある場合は、税率が10%加算されて50%もの税率となります。

上記のほか、たとえ期限内に相続税申告を行っていた場合であっても、税務調査などで税額を少なく申告していたことが判明した場合には、過少申告加算税が課されます。いずれにせよ、税金のペナルティは負担が大きくなりますので、期限内に正しく申告･納税を行うことを心がけましょう。

[図表 14] 相続税の申告及び納付に関するペナルティ

種類	概要	税率 ※
過少申告加算税	期限内申告をした場合で、税額を少なく申告していた場合に課される税額	5% ～ 20%
無申告加算税	正当な理由がなく、期限までに申告をしなかった場合に課される税額	5% ～ 20%
延滞税	税金を期限内に納付せず遅延したことに対してかかる利息に相当する税額	年 7.3% ～ 14.6%
重加算税	申告内容について、隠蔽又は仮装していた場合に課される税額	35% ～ 50%

※ケースや年度によって適用される税率がそれぞれ異なるのでよく確認してください。

相続税の無申告が発覚する仕組み

人が亡くなった場合に、相続人など届出義務者は、死亡の事実を知った日から7日以内に死亡届を提出する必要があります。そして、市区町村など戸籍を管理する役所が死亡届を受理した場合には、法律により所轄税務署長へその事実を通知することになっています。つまり、税務署は全ての人の死亡に関する情報を知っているということです。

税務署は所得税の確定申告や不動産など固定資産に関する膨大なデータ等から、ある程度の資産を持っていそうな人たちの情報を常に把握しています。よって、このような資産家の人たちの死亡に関する情報を市区町村から受理した後に、申告期限を過ぎてもいっこうに相続税の申告がされない場合には税務調査に入る、という流れになっています。

資産家の場合には、たとえ期限内に申告があったとしても、その内容が正しいか否かを確認するために税務調査が行われるのが通常です。無申告の場合には特に税務調査の対象となりやすく、また、悪質だと判断されることも多いので特に注意が必要です。

Check

ウチはたいした財産がないから相続税の申告は必要ない、と思い込んでいる方が非常に多くいます。後日の税務調査で申告が必要であることが判明した場合には、申告期限内に申告・納税していれば負担する必要の無かった余計な税金を支払うことになってしまいます。相続税の申告が必要か否か不安のある人は、事前に税理士に相談することをお勧めします。

Question

40

孫の教育資金を遺したい

自分が生きているうちに、孫へ学費を渡したいと思っていますが、贈与税が心配です。学費は非課税と聞きましたが詳しく教えてください。

贈与を受けたすべての財産は、原則として贈与税の対象になりますが、教育資金に関しては、次の３つのケースに該当する場合には非課税となります。

⑴　扶養義務者からの都度の贈与

大学や専門学校の学費や結婚式の費用を両親や祖父母に負担してもらったという人は多いと思いますが、その際に贈与税を支払ったという人はおそらくいないでしょう。夫婦や親子、兄弟弟妹などの扶養義務者から生活費や教育費（学費や教材費､文具費など）に充てるために取得した財産で、通常必要と認められるものについては、贈与税は非課税となります。

このように教育資金の贈与はそもそも非課税なのですが、実はもう一つ重要な条件があります。それは、「必要な都度贈与する」ということです。例えば、大学の入学金や学費をその都度親が負担するのは非課税ですが、将来の学費を先にすべて前渡しした場合には必要な都度の贈与にはあたらないので贈与税がかかることになります。

⑵　通常の贈与（暦年贈与）

贈与税には年間 110 万円の非課税枠（基礎控除）があります。よって、暦年（1 月から 12 月まで）に受けた贈与額が 110 万円以内であれば贈与税はかかりません。この暦年贈与は相続税対策の基本です。教育資金に限らず、資産家の方は利用を検討することをお勧めします。もちろん一定の贈与税を負担して生前贈与することを検討することも可能です。

［図表 15］贈与税の速算表

20 歳以上の者が直系尊属より受ける贈与（特例税率）		
基礎控除後の課税価格	税率	控除額
200 万円以下	10%	－
400 万円以下	15%	10 万円
600 万円以下	20%	30 万円
1,000 万円以下	30%	90 万円
1,500 万円以下	40%	190 万円
3,000 万円以下	45%	265 万円
4,500 万円以下	50%	415 万円
4,500 万円以下	55%	640 万円

左記以外の贈与（一般税率）		
基礎控除後の課税価格	税率	控除額
200 万円以下	10%	－
300 万円以下	15%	10 万円
400 万円以下	20%	25 万円
600 万円以下	30%	65 万円
1,000 万円以下	40%	125 万円
1,500 万円以下	45%	175 万円
3,000 万円以下	50%	250 万円
3,000 万円超	55%	400 万円

(3) 教育資金の一括贈与の特例（贈与税の非課税制度）

質問のケースのように、生きているうちに前渡ししておきたい、というお考えをお持ちの方も多いことでしょう。しかし、①でみたように必要な都度の贈与でない場合には贈与税が課されてしまいます。そこで、多額の教育資金を一括で生前贈与する場合に、この非課税制度を利用することで、贈与を受ける人（一人当たり）最大 1,500 万円までを非課税で贈与することができます。

[図表 16] 教育資金の一括贈与の特例制度の概要

期間	平成 25 年 4 月 1 日から令和 5 年 3 月 31 日までの間 ※令和 3 年度税制改正により延長
贈与者 (贈与する人)	直系尊属(父母や祖父母)
受贈者 (贈与を受ける人)	① 30 歳未満の子や孫 ②前年の所得が 1,000 万円を超えないこと
教育資金の範囲 ※(1)(2)合計で 1,500 万円まで 非課税	(1)学校等へ支払うもの(1,500 万円まで非課税) ①入学金、授業料、入園料、保育料、施設設備費または入学試験の検定料など ②学用品の購入費、修学旅行費や給食費など (2)学校等以外へ支払うもの(500 万円まで非課税) ①学習塾やそろばん教室、スポーツ(水泳、野球、サッカーなど)やピアノ、絵画教室の月謝・指導料 ③通学定期券代、留学のための渡航費などの交通費

本制度を利用するためには、信託銀行などの金融機関と契約を行い教育資金口座を開設しなければならず、また、金融機関を通じて「教育資金非課税申告書」を提出しなければならないなど、制度自体が非常に複雑です。また、教育資金管理契約の終了の日までの間に贈与者が亡くなった場合には教育資金口座の残額に相続税が課される場合があり、さらに契約終了時までに教育資金を使い切れなかった場合には贈与税が課されるなど、注意すべき点がたくさんあります。本特例制度はそもそも時限措置であるため、税制改正にも注意しましょう。

Check

教育資金の贈与について3つの方法は、それぞれ併用が可能です。贈与のタイミングや金額、利用のしやすさなどを考慮し、専門家や金融機関のアドバイスを参考にして上手に制度を利用しましょう。

Question
41
相続対策のポイントについて知りたい

私は複数の不動産と、また、かなりの金額の預貯金や多数の上場株式などを保有しています。相続対策のポイントがあれば教えて下さい。

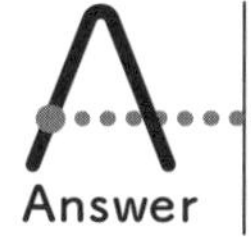

相続対策は大きく２つに分かれます。１つは、“争族” を避けて円満な相続を行うための対策、もう１つは、相続税額を減らすための対策です。

円満な相続のための対策

いかに円満に財産を相続人たちへ承継させるかということは、相続において最も重要なことでしょう。仲良くしていた兄弟達が相続を機に対立し争いを起こすことなど誰しも望んでいません。

⑴ 遺言書の作成

遺言書による財産の配分指定は法定相続分に優先します。すなわち、誰に、どの財産を、どれだけ相続させるか、ということを記載した遺言書の内容が何よりも優先されるため、遺言者（被相続人）の思いを伝え、実現し、争族を防ぐ最も有効な手段です。また、遺言書によって相続人以外の第三者へ財産を残すことも可能です。

ただし、遺留分に注意する必要があります。遺留分とは、法定相続人に法律上保障されている最低限の遺産取得分のことをいいますが、これは法定相続分の 1/2 と定められています。例えば「全財産を長男に相続させる」

という極端な内容の遺言書があった場合、他の相続人は侵害者である長男に対して遺留分侵害額請求権を行使して、侵害された遺留分を金銭で取り戻すことが可能です。

そもそも他の相続人の遺留分を侵害するような遺言書は相続争いの種となることが往々にしてありますので、遺言書を作成する際は遺留分を考慮することが重要です。また、遺言書は公正証書にて作成することを強くお勧めします。

⑵ 納税資金対策

相続税は現金で一括納付することが原則です。しかし、例えば相続財産に不動産が多い場合などは、遺産を相続しても相続税を支払う資力が無いという事態が起こり得ます。最悪の場合には大切な自宅を含め不動産を売却しなければならないこともあるでしょう。納税資金を巡って相続人間で争いが起こらないとも限りません。よって、円満な相続のためには、相続税の納税資金対策も重要になってきます。

一般的な納税資金対策としては以下のような対策があります。なお、これらの対策は結果として節税対策にもつながることが多いため、入念に対策を練ることが肝要です。

・納税準備貯蓄
・生命保険の活用
・生前贈与
・死亡退職金や弔慰金の支給
・金庫株の活用
・不動産管理法人や所有法人の設立
・不動産の整理・活用
・物納制度の利用

・延納制度の利用
・銀行借入　　　　　など

相続税節税のための対策

相続税の節税対策とは、納める相続税額をいかにして少なくするか、という対策です。当たり前の話ですが、節税というものは法律の規定に従って合法的に行うことが大原則ですので、法の網をかいくぐるような違法スレスレの行為や脱税とは異なることをしっかりと認識することが大切です。

以下に一般によく用いられる節税対策を列挙しますので参考としてください。もちろんこれ以外の対策が星の数ほど存在しますし、各人の事情や財産状況などによって打つべき対策は異なります。実行する際には必ず事前に専門家に相談しましょう。

(1)　生前贈与の活用

贈与税の基礎控除額110万円の枠を利用して、毎年複数の相続人に対して贈与を行います。相続時の相続税率が高くなることが予想される場合には、多少の贈与税を負担しても多く贈与することを検討すべきでしょう。また、相続時精算課税制度（Q36参照）を利用することも一考です。

(2)　贈与税の配偶者控除の利用

婚姻期間が20年以上の配偶者に居住用財産を贈与した場合には、2,000万円までは贈与税がかかりません。

(3)　養子縁組

法定相続人を増やすことにより基礎控除額が増加し、相続税額が減少します。

(4)　生命保険の活用

被相続人が生命保険に加入して受取人を相続人にしておくことで、死亡保険金を相続税の納付資金に充てることができるほか、法定相続人一人当たり500万円の非課税枠を利用することができます。

(5) 不動産の活用

現預金は相続時に額面に対して課税されますが、土地建物等の不動産は相続税評価額が課税価格となります。通常、相続税評価額は時価よりも低くなるため、現預金を不動産に変えておくことも一考です。また、アパートなどの貸家の場合にはさらに評価が下がりますし、借入金などがある場合は当然に債務として相続財産から控除されます。

(6) 生前にお墓を購入する

相続税法上、お墓は非課税財産ですので、生前に購入しておけばその分の現預金が墓地に変わり課税価格が減少することとなります。

(7) 小規模宅地の特例の活用

自宅や賃貸用不動産などを所有している人は、小規模宅地の特例の要件を満たすような工夫をすることが大切です。ここでは詳述を割愛しますが、この特例を上手に利用することによって、不動産の相続税評価額を最大80%減額することが可能となります。

上記のほか、個人事業主の法人成りや不動産所有法人の設立、世代飛ばしの遺贈、借地契約の見直し、金庫株の活用など、節税対策は個々の相続事情に応じて無数に存在します。

Check

相続対策を一朝一夕で行うことは不可能です。長い時間をかけて、じっくりと対策を練り、粛々と実行することが求められます。いつ何が起こるか分かりません。対策を早く打つことに越したことはありませんので、お早目にご準備ください。

Question

42

遺言書を残すメリットは何ですか

先日、友人が遺言書を作り「これで安心だわ」と言っていました。遺言書にはどのような利点があるのでしょうか。

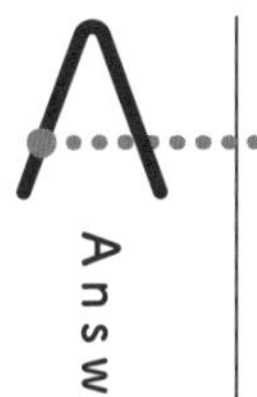

人が亡くなったとき、遺言が作成されていなければ、民法が定めた法定相続人が、法定相続分に応じて相続財産を取得します。

これに対して、遺言が作成されていた場合、その遺言の内容に従って相続財産が引き継がれることになります。遺言は、家族の長年の貢献に報いたり、死後の事務処理や事業の承継を円滑なものにしたりすることができる故人の意思表示といえます。

遺書と遺言書の違い

「俺もいい年齢になったから遺書(いしょ)でも書いておこうと思う」という相談を受けることがありますが、これはとんでもない間違いです。遺書とは自殺を考えている人や、死ぬかもしれない戦乱の地に赴く人などが、家族や友人に向けて心情を書き残す文書のことで、法律的には効力はありません。

一方、遺言書は、いつ来るか分からない自分の万一の場合に備えて、血縁者の身分関係や財産の分け方について、民法の決まりに基づいて作成するもので、厳格な要件を備えた法的効力を持つ文書です。つまり、所定の要件を満たしていなければ法律的には無効になります。

もちろん遺言を書いたから死ぬというものではありません。むしろ、いつ自分が死んでも後に残された人たちが平穏に暮らせるように準備することで、自分も安心して長生きできるというものです。

ところで、遺言には「ゆいごん」と「いごん」の２つの意味と読み方があります。前者は、死後のために生前に言い残す言葉としての意味をもち、後者は法律上の効力を発生させる目的で用いる用語です。どちらも正しい読み方ですが、広義の一般的な遺言を総称して「ゆいごん」、狭義の法律上の効力があるものを「いごん」と言うことができるでしょう。

特に遺言が必要なケース

⑴　家業の実態や家族の実情に合わせて合理的な配分をしておきたい

・同族会社の後継者に会社の株式を重点配分したい

・農地の細分化を避け、家業を守りたい

・同居している子どもに家を継いでもらいたい

・病弱な子どものために生活設計をしておきたい

・数年来介護をしてくれている長女に財産を多く与えたい

⑵　相続人間の争いを未然に防ぎたい

・あらかじめ分割方法などを決め、折り合いの悪い子どもたちが遺産分割で争うのを防ぎたい

・先妻との間の子どもたちと後妻との間で、円滑な遺産分割をしてほしい

・遺留分を侵害しない形で、相続人間で実質的な公平を図ってやりたい

⑶　相続権のない人にも遺産を分配したい

・世話になっている息子の嫁や娘の婿に遺産をあげたい

・かわいい孫にも遺産をあげたい

・内縁の妻に遺産をあげたい

・夫の相続の際に相続放棄してくれた先妻の子に遺産をあげたい

⑷　遺産を世の中のために役立てたい

・遺産を寄付して地域の福祉向上に役立てたい

・遺産で公益法人を設立し、交通遺児の奨学金や心身障害児の教育費用を援助したい

Check

遺言のメリットばかりが強調されがちですが、思わぬ落とし穴もあります。記載内容が曖昧だったために逆に揉め事になってしまうケースや、遺産配分が不公平な内容だったことで家族関係が悪化してしまうケースなど、遺言書によるトラブルも後を絶ちません。遺言書の厳格な書式や適切な管理に充分留意してください。

Question

43

遺言の方式について知りたい

定年退職を迎え、そろそろ遺言を作成しようと思っています。遺言にはどのようなものがあるのか、その種類や長所・短所について教えてください。

遺言には、以下のような種類がありますが、特別方式の遺言はきわめて特殊なケースを想定したものですので、普通方式の遺言のうち自筆証書遺言の公正証書遺言を理解しておけばよいと考えます。

[図表 17] 遺言の方式

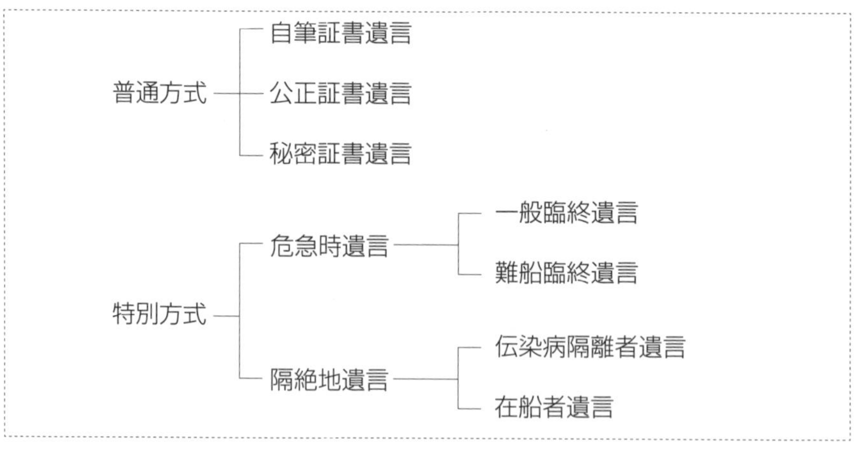

遺言の方式の種類

上図のとおり、遺言の方式は普通方式として３種、特別方式として４種の合計７種類あります。その中でも「自筆証書遺言」と「公正証書遺言」が一般的です。

自筆証書遺言が有効なものとして法的効力を持つためには、民法に定められた遺言の要件を備えている必要があります。

また、遺言は被相続人ごとに作成される必要があり、夫婦の共同遺言が認められていないことには留意が必要です。

自筆証書遺言と公正証書遺言との違い

それぞれについて他の章で詳述しますが、概略は次のとおりです。

(1) 自筆証書遺言

遺言者が遺言内容の全文と日付、氏名を自筆で書き、印を押して作成します。用紙は、はがき、便箋、半紙など何でもよく、印は認印でもかまいません。

平成30年改正相続法で自筆の要件が緩和され、目録部分は自筆ではなくワープロ書きで作成することも許されるようになりました。

公証人や証人を必要としない点で簡便ではありますが、民法で定められた要件を満たしていなかったり、表現・形式に不備があったりすると遺言が無効になってしまうこともあります。

(2) 公正証書遺言

遺言者が、公証人に口頭もしくは通訳人の通訳による申述または自書で遺言の内容を伝え、民法に定められた方式で公証人が筆記したものを本人と証人2人に読み聞かせます。本人と証人は、筆記の正確なことを承認したあと各自署名捺印します。最後に公証人が法律に基づいて作成したものであることを付記し、署名捺印して作成するものです。

公正証書遺言は、原本が公証役場に保管されますので紛失や破損の心配がなく、形式不備や隠匿などの心配もないので、より安全・確実な遺言といえます。このようなことから、後日遺言の効力についての争いになるおそれを極力低くすることができます。

自筆証書遺言と公正証書遺言の長所・短所

自筆証書遺言と公正証書遺言の長所・短所を整理すると下表のとおりです。それぞれの長所が、他方の短所と裏返しの関係になっていることが多いことがわかります。

［図表 18］自筆長所遺言と公正証書遺言の長所・短所

	自筆証書遺言	公正証書遺言
長所	・費用がかからない ・自分一人で作成できる ・遺言書の存在・内容を秘密にできる	・公証人が作成するので、要件不備の危険が極めて少ない ・偽造・変造・紛失などの危険がない ・病気・ケガで自筆できない人も作成できる ・家庭裁判所の検認が不要
短所	・法律の要件を満たさず、無効になってしまう危険がある ・曖昧であったり解釈の余地があったりすると、将来の争いを防げない ・偽造・変造・紛失などの危険がある ・家庭裁判所の検認が必要	・公証人手数料が必要 ・公証人に意思を説明する際の心理的抵抗が伴う

Check

専門家が遺言の作成に関与する場合には、要件不備を理由に無効となる危険を極力避けるために公正証書遺言を選択する例が多いのではないかと考えます。

公証人手数料が発生するとはいえ、手数料の基準は対象となる財産の金額などによって明確に決まっており、経験上、公証人手数料が膨大な金額となること滅多にありません。

特別な事情がある場合を除き、公正証書遺言の作成をお勧めしています。

Question
44

遺言できる事項について知りたい

遺言にはどのようなことを書くことができるのでしょうか。

遺言に記載することで法的効力が生じる事項は、法律で定められています。

［図表 19］遺言でできる事項

狭義の相続に関する事項	①推定相続人の廃除・取消し ②相続分の指定・指定の委託 ③特別受益の持戻しの免除 ④遺産分割の方法指定・指定の委託 ⑤遺産分割の禁止 ⑥共同相続人の担保責任の減免・加重 ⑦遺贈の減殺の順序・割合の指定
遺産の処分に関する事項	⑧遺贈 ⑨財団法人設立のための寄付行為 ⑩信託の設定
身分上の事項	⑪認知 ⑫未成年者の後見人の指定 ⑬後見監督人の指定
遺言執行に関する事項	⑭遺言執行者の指定・指定の委託
学説で認められている事項	⑮祖先の祭祀主宰者の指定 ⑯生命保険金受取人の指定・変更

付言事項

上記以外の事項を「付言事項」といい、「私の死後もお母さんが安心して暮らせるように、全財産をお母さんに相続させる。お母さんは苦労してお前たちを育ててきた。大事にするように。」、「私の死後も兄弟仲良く暮らすように望みます。」という記載を見ることがあります。付言事項を記載しても遺言自体が無効にはなりませんが、付言事項の内容には法的効力はなく、相続人が事実上尊重してくれることに望みを託すほかありません。

献体する場合の手続き

献体の指示なども財産処分に関する公正証書遺言の付言事項として記載されるのが一般的なようです。医科大学などの研究機関では、献体希望者のために、献体の申込みを受け付けているほか、公益財団法人日本篤志献体協会のように問合せに対応している団体もあります。申込みには家族の同意が必要とされる点に注意をしてください。申込みが受理されると、解剖承諾書などへの署名捺印、遺体処理後の返却方法について遺族の意思確認がなされ、受付けした旨の登録番号が交付されます。したがって、遺言で献体する予定の方は、まず、どの機関で献体するかを決めて受付けを済ませてから遺言をしておくことをお勧めします。また、遺言を書く前に、家族と話し合って理解を求めておきましょう。献体が実施されると、遺体の返還後でないと葬儀ができないので、親族にも説明しておく必要があります。

また、献体の遺言は法的な効力はありませんので、遺言公正証書としてでなく、公証人の面前で献体を希望する旨陳述し、その陳述した事実を記載する「私権事実実験公正証書」として作成する方法もあります。公証人に相談されるとよいでしょう。

Check

遺言を作成する際には遺留分を侵害するかどうかが非常に重要です。

どうしても遺留分を侵害してしまう場合には、遺言をした真意や心情を「付言」や「付言事項」として記載することで、将来の紛争の可能性を多少なりとも低くすることができるかもしれません。

Question

45

遺言書を法務局で保管してくれる制度ができたと聞きました

勉強を兼ねて自筆証書遺言を作成する予定ですが、作成後、紛失してしまったり、死後に相続人に発見してもらえなかったりすることが心配です。

最近、自筆証書遺言を役所で保管してもらえる制度ができたと聞きましたが、本当でしょうか。

平成30年相続改正の一環として「法務局における遺言書の保管等に関する法律」が制定されました。

その結果、自筆証書遺言を法務局で保管してもらえることになり、遺言書の紛失などを防ぐことができるほか、死後、相続人も遺言書の存在を調査することが容易になりました。

自筆証書遺言の保管申請

保管を申請できる遺言書の書式は自筆証書遺言に限られます。

遺言をした者は、自身の住所地・本籍地・所有している不動産の所在地のいずれかを管轄する法務局に出頭して保管の申請をします。

申請の際には、法務省の定める様式に従って作成された無封の遺言書を提出する必要があり、遺言書に封印がなされている場合には窓口で開封をする必要があります。これは法務局が自書などの要件を確認するためです。

不備がなく申請が受理された場合、遺言書の原本が法務局で保管されるとともに、遺言書が情報としてデータファイルに記録されます。

また、一度保管がなされた後も、遺言者は保管の申請を撤回することができますし（ただし、出頭が必要です）、申請後の考えの変化に従って新たな遺言をすることもできます。

相続開始後の調査など

遺言者の死後、相続人などは法務局で保管中の遺言書がないか確認することができ、保管中の遺言書が存在した場合には、法務局で保管されている原本を閲覧したり、遺言書の画像情報を用いた証明書（「遺言書情報証明書」）の交付を受けたりすることができます。

また、原本の閲覧や遺言書情報証明書の交付がなされた場合には、法務局から他の相続人などに遺言書が保管されていることの通知がなされます。その結果、一部の相続人が遺言書の存在を知らないまま、遺産分割協議が行われることを防ぐことができます。

遺言書保管制度のメリット

Q43で整理した自筆証書遺言の短所をある程度カバーできます。

法務局が適式に保管をするため遺言書の偽造・変造・紛失などの危険はなくなりますし、家庭裁判所の検認手続きが不要になります。

Check

遺言書保管制度が創設された背景には、所有者不明土地の問題があるという話も聞きます。

遺言書保管制度が利用されることで、相続人などが法務局を訪ねる機会が増え、その際に窓口で所有者不明土地の処理について注意喚起をしたり、登記相談に応じたりすることで、これ以上、所有者不明土地が増えないようにすることができるからです。

平成30年相続法改正の際、所有者不明土地問題に関する改正は見送られましたが、引き続き立法の課題として議論がなされており、実務上は目が離せない分野といえます。

Question

46

相続人がいない場合の遺言書について知りたい

一人住まいです。妻も子も死亡し、孫やひ孫もおりません。兄弟も死亡しており、そちらの係累はおりますが付き合いは全くありません。今は、どこも悪いところがなく、ヘルパーさんの支援で生活しております。財産は、住まいの土地・建物の他に年金が400万円程度、預貯金が3,000万円ほどあります。こんな私が遺言書を書くとしたら、受取人は誰にすべきでしょうか。

相続人が不存在の遺産は、相続財産管理人が選任された末、最終的には国庫に入ることになります。しかし、人間が死ぬまでの間にはいろいろな人や施設にお世話になるわけですから、健康なうちに、ご自分の意思で遺贈先を決めて、公正証書遺言にしておくことをお勧めします。

医療施設等への遺贈・死因贈与

方法としては遺贈と死因贈与の２通りがあります。遺贈は、遺言で贈与するもので、贈与を受ける相手は遺言者の死後はじめて受贈の権利発生を知るものです。死因贈与は、生存中に「私が死んだら○○の財産をあげます」、「はい、いただきます」という契約（双務契約）に基づく贈与の行為です。

遺言書の中で遺言の内容を実行する「遺言執行者」を選任しておくことで、遺言者の死後、遺言執行者が相続財産を処分し、医療費や葬儀費用・埋葬料などを支払ったあとの財産の遺贈などを行います。

世話になった知人やヘルパーさんへの遺贈

この場合、入院や葬儀等の執行・費用が曖昧にならないよう、健全なうちに公正証書遺言とセットで「任意後見契約（移行型・後述）」を結び、判断能力を失ってからの一切の療養・看護・葬送等の項目を委任しておくことがのぞましいでしょう。

Check

少子高齢化の下、自分が死ぬ間際になって周りを見渡してみたら、誰一人知る人がいないという「浦島太郎現象」に遭遇するという事態もありえます。

健康なうちに、どうか、しっかりと公正証書遺言・財産管理等委任契約・任意後見契約（移行型がよい）・死後事務委任契約の４点セットを準備することをお勧めします。

Question
47
自筆証書遺言を作りたい

古希を迎え、遺言を作成する気になりました。自筆しようと思いますので、作成方法、書式などについて教えてください。

自筆証書遺言は遺言の全文、作成日付、氏名を遺言者が自書し、署名の下に捺印（実印でなくてもよい）して作成します。いつでも、どこでも作成できる手軽さがありますが、次のような注意が必要です。

自筆証書遺言の特徴

自筆証書遺言の特徴としては、次の項目があげられます。

①遺言の方式としては最も簡便です。

②自分で書くので費用はかかりません。

③公証人・証人の関与がないため、遺言の内容を秘密にしておくことができます。

④後日、遺言書の偽造・変造・隠匿等の問題が生じることがあります。

⑤形式の不備等による、無効、紛争のおそれがあります。

⑥法務局での遺言書保管制度を利用しない場合には家庭裁判所で検認の手続きを受ける必要があります。

自筆証書遺言検認手続き

自筆証書遺言は、家庭裁判所で検認を受ける必要があります。検認とは、遺言書の偽造、変造を防ぎ遺言書を確実に保全するための証拠保全の手続きです（Q48、49参照）。

この検認手続きが終了しないと、遺産（不動産、預貯金等）の相続登記や名義変更ができません。

ただし、検認手続きは遺言内容の有効・無効を判定するものではありません。検認手続きが終了したからといって、遺言書の内容が有効であると保証されたわけではなく、後日、無効を主張される可能性があります。

なお、法務局の遺言書保管制度を利用した場合や、自筆証書遺言ではなく公正証書遺言を作成した場合には、この検認手続きは不要です。

自筆証書遺言作成上の留意点

①遺言の全文、日付、氏名を自筆で書くことが必要で、ワープロ、パソコン等による作成は無効です。ただし、平成30年改正相続法で自筆の要件が緩和され、目録部分は自筆ではなくワープロ書きで作成することも許されるようになりました。

その他、代筆やテープに吹き込んだ声・映像による遺言も無効です。

また、氏名は通称や芸名でも本人を特定できればよいのですが、日付は確定する必要があり、「2月31日」というように暦にない日付や「4月吉日」といった特定できない日付は無効です。

②夫婦共同の遺言は認められません。

③作成時に一部を訂正した場合は、民法に定める方式で訂正が必要です。詳細は後述します。

④２つ以上の遺言書が存在する場合、抵触する事項についてのみ新たな遺言書が優先します。

⑤自筆証書遺言の発見者は、開封せずに家庭裁判所に提出しなければなりません。家庭裁判所以外で開封すると過料に処せられます。

⑥上記要件さえ備えていれば、はがきでもノートでも、名刺の裏でも何でも有効です。一般的には便箋やA4サイズの白の半紙などに書いたものを、封筒に入れて封印し、表書き・裏書きします。

⑦保管場所は、誰にでも分かるところでは偽造・変造のおそれがあるた

め不適当である一方、誰にも分からないところでも意味がありません。信用のできる人に預けたり、取引銀行の貸金庫に保管したりするほか、法務局の遺言書保管制度を利用するのもよいと思われます。

また、包装は、通常封筒に入れますが、ただ入れるだけでなく、封印および記名捺印のうえ［書式6］のような記載をお勧めします。

自筆証書遺言を訂正したい場合

訂正をしたい場合にも留意点があります。

遺言の内容には、人の身分に関する事柄や財産の処分（相続分）に関する事柄が多いため、民法は加除訂正の方式についても定めています。

具体的には、まず変更した箇所を指示し、そして変更した旨を付記して署名し、さらに変更した箇所に捺印します。遺言書の余白に、［書式7］のような文言を記入します。訂正の仕方を間違えたために、せっかくの遺言が無効になっては、何にもなりません。訂正が生じた場合、心配であれば、新たに遺言を作成した方が無難です。

［図表20］自筆証書遺言の留意事項

表題	・「遺言」または「遺言書」が一般的。 ・封書で保管、自書・捺印・封印する。
受遺者の表示と予備的遺言	・遺言内で特定の人を表示する場合、受遺者の氏名・住所・生年月日・続柄等を、法定相続人の場合は「妻○○」「長男○○」などと記載する。 ・遺言効力発生以前に受遺者が遺言者より先に死亡していたときの記載も、ときによっては必要となる（Q64参照）。
財産の配分（遺留分のある相続人には留意する）	・特別受益分、寄与分等を充分考慮すること。 ・付言により、財産を配分した経緯・理由を記載する。 ・特定遺贈を行い、できるだけ包括遺贈は避ける。
対象物件の範囲	・財産の存在する場所・種類・名称・数量などにより特定させる。

不動産（土地、建物等）の記載	・不動産登記簿謄本に基づき、正確に記載する。 ・将来のことを考えて、できるだけ単独所有とすることが望ましい。 ・未登記のときは「固定資産税課税台帳登記証明書」などの表示のとおりに記載する。
預貯金・信託・株式・公社債等の記載	・包括的に「銀行預金の全て」と書かず、○○銀行の○○預金債権と書く。 例）○○銀行○○支店の定期預金債権の全部、○○信託銀行○○支店の信託受益権の全部、○○証券○○支店の投資信託受益権の全部、○○株式会社の株式の全株
遺言執行者を指定しておいたほうがよい場合	・不動産の登記手続きおよび不動産の換価処分、貸金庫の開扉、預貯金・有価証券・その他財産等の換価処分。
その他の財産の表示（その他財産、家財道具、衣類等）	・遺言書で記載されていない財産の帰属の明示する（「本遺言書に記載のない財産の存在が判明したときは、○○が取得する」）。 このような記載のない場合は改めて相続人全員による分割協議が必要となる。
債務、未払い費用、相続手続き費用の表示	・債務、未払い費用および遺言執行費用等の負担の表示。
遺産の一部だけを遺言の対象とする場合	・他の財産の処分方法はどうするのか、記載のない場合は相続人全員による遺産分割協議が必要。

Check

自筆証書遺言を作成する場合は、必ず「遺言執行者」を決めておくことをお勧めします。遺言執行者の指定がない遺言書は無視される可能性もあるからです。

また、自筆証書遺言の作成は一番簡単なように思われがちですが、民法で決められた方式を１つでも間違えると無効になるので注意が必要です。

［書式 5］自筆証書遺言の書式例

遺　言　書

遺言者山田太郎は、この遺言書により次のとおり遺言します。

1、妻山田花子に次の財産を相続させます。
　①　東京都○○区○○町○○番地
　　　宅地○○．○○平方メートル
　②　同所同番地
　　　家屋番号　○○番
　　　木造瓦葺平屋建居宅一棟
　　　床面積　○○．○○平方メートル
2、前条の財産を除く残余の財産を長男山田一郎、長女田中一子に均等の割合で相続させます。
3、この遺言の執行者に下記の者を指定します。
　　住所
　　氏名

令和○○年○○月○○日
東京都○○区○○町○○番地
遺言者　山田太郎　　印

［書式 6］遺言書の封筒の記入例

改ざんを防ぐため、
封印してください

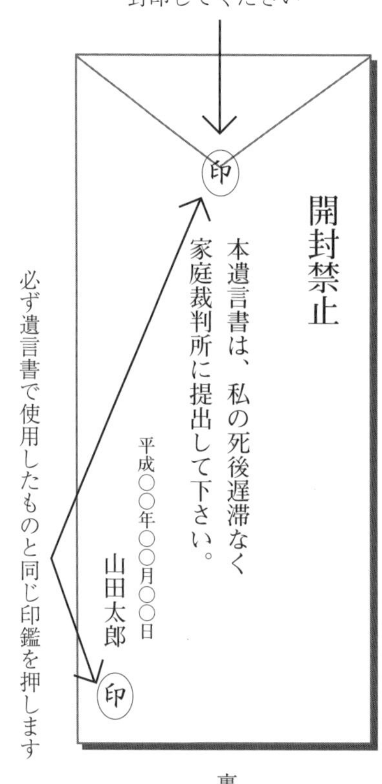

裏

遺言書

表

［書式 7］自筆証書遺言の訂正例

遺言書

遺言者山田太郎は次のとおり遺言する。

1　次の不動産を妻山田花子に相続させる。

本行二字加入
二字削除　○○市○○町○○丁目○番地　宅地㊞○○平方メートル
山田太郎

（以下略）

※訂正箇所押印

Question

48

自筆の遺言が見つかったら、どうすれば良いですか

父が他界して２週間が経ちました。その間に、取引銀行の貸金庫から父の自筆の遺言書が発見されました。封筒の裏面に「家庭裁判所に提出して下さい」と書かれてあります。どのようにすればよいのでしょうか。

Answer

自筆証書遺言や秘密証書遺言の発見者は、開封せずに家庭裁判所へ提出して「検認」の手続きを請求する必要があります。「検認手続き」とは、遺言書の偽造、変造を防ぎ遺言書を確実に保全するための手続きです。ゆえなく開封した者は過料に処せられます。自筆証書遺言の場合、検認手続きを終えると家庭裁判所から「検認調書」または「検認済証明書」が発行されます（不動産、金融資産等の名義書替えに必要となります）。

遺言書保管制度の下で法務局に保管されている自筆証書遺言や公正証書遺言については、検認の手続きは不要で、発見後、直ちに遺言内容に基づき相続手続き（不動産の所有権移転登記、金融資産等の名義書替え等）が可能です。

なお、検認の手続きを請求する際、相続人の一覧表を要求されますので、父親（被相続人）の戸籍謄本（出生から死亡まで連続したもの）・除籍謄本などで確認する必要があります。

検認の目的

検認手続きが必要な目的はいったい何でしょうか。

判例によれば、検認は、その遺言の「現にあるがまま」の状態を確定す

ることが目的で、その遺言が有効か無効かを判定するものではありません。

つまり、検認の手続きをした遺言書でもその効力を後日に争うことができますし、反対に、検認手続きを経ていなくても遺言書が無効になるわけではありません。ただし、検認を経ていないと登記手続きや預貯金の解約などができないため、事実上、効力を持たない状態となってしまいます。

自筆証書遺言は常に、都合の悪い者によって改ざんされやすい危険にさらされているため、裁判所がその遺言書の現状をきちんと確定し、改ざんなどを巡る無用な争いを防ぐことが検認手続きの目的だと考えられます。

検認手続きをしないと…

検認が必要な遺言書を保管・発見した相続人は、相続の開始を知った後、遅滞なく、家庭裁判所に遺言書を提出して、その検認を請求しなければなりません。

民法には「発見者が遺言書の提出を怠り、検認を受けないで遺言を執行し、または家庭裁判所以外でその開封をした者は、5万円以下の過料に処す」と規定されていますので、検認を怠ることがないよう注意する必要があります。また、過料の制裁だけではなく、故意に遺言書を偽造・変造・破棄または隠匿した場合、相続人の欠格事由にあたるほか、受遺者もその資格を失います。

Check

検認手続きが不要な点で公正証書遺言を利用する方も多いのですが、何らかの事情で公正証書遺言が作成されず自筆証書遺言のみが作成されている場合もあるかと思います。

ただでさえ金銭が関係し争いが生じがちな相続の場面ですので、遺言書の改ざんの有無といった形式的な問題での争いは避けたいものです。

相続人が一堂に集まるいい機会にもなりますので、検認手続きが必要な場合にはこれを忘れずに申し立ててください。

Question
49
検認の申立て手続きをしたい

遺言書の検認の申立て手続きをしたいと思います。何を用意し、どこへ申し立てればよいのでしょうか。

Q48でみた検認手続きですが、「家事事件手続法」という法律の下、家庭裁判所の「審判」という種類の手続きとして行われます。

家庭裁判所のホームページには書式や記載例が掲載されています。

検認手続きの流れ

手続きの大まかな流れは以下のとおりとなります。

①遺言者の最後の住所地を管轄する家庭裁判所に対して申立て

②家庭裁判所から各相続人に対して検認を行う日（検認期日）を通知する。なお、この検認期日は申立てから１～２カ月後に指定される例が多いようです。

③検認期日には，申立人が遺言書を提出し、出席した相続人等の立会いのもと，裁判官が遺言書を開封した上，検認を行う。全相続人が出頭する必要はなく、また出頭しなかった相続人に対して不利益があるわけでもありません。

④検認された遺言書は検認済証明書が付けられて返還がなされます。

必要書類等

一般的には、出生時から死亡時までの全ての戸籍謄本類（除籍、改製原戸籍）などをそろえる必要があります。

また、申立て時には、申立書に800円分の収入印紙を貼るほか、検認期日の通知の際に必要な郵便切手を提出します。この郵便切手については相続人の人数や各裁判所の運用などによって違いがありますので、事前に申立先の家庭裁判所に問い合わせるのがよいでしょう。

Check

検認期日に相続人等の立会いのもとに遺言書を開封し、書式どおりに書かれているかを調べ、遺言者の筆跡かどうかを相続人等に確認します。その結果を「検認調書」に記載し、遺言書の写しを添付します。遺言書は、検認が済めば末尾に「検認済証明書」が編綴され、契印された後、申立人に返却されます。この検認済みの契印がないと、その遺言書にしたがって不動産の相続登記や預貯金の名義書換等をすることができません。

Question
50
公正証書遺言を作りたい

脳梗塞を発症し全身が不自由になってしまい、自分でものを書くことも、外出もできません。このような状態でも公正証書遺言を作成することができますか。

「公正証書遺言」とは、遺言者が公証役場に行って、遺言の内容を公証人に伝え、これを公証人が筆記して作成する遺言です。この公正証書遺言は、通訳を介して作成したり、公証人に出張をしてもらって作成したりすることが可能です。

公正証書遺言の作成方法

公正証書遺言は全国どこの公証役場でも作成できます。日本公証人連合会のホームページに各地の公証役場の連絡先が掲載されていますので、その中から自宅からアクセスなどを考えて公証役場を選ぶとよいでしょう。

公証役場には公証人がいます。公証人は長年にわたって裁判官・検察官などとして法律実務に携わってきた専門家ですので、遺言の内容などについて助言をしてもらうこともできます。

どのような内容の遺言を作成するか考えがまとまったら、公証役場に予約をするとともに事前に遺言の内容を公証人に説明しておくとその後の手続きがスムーズに進むでしょう。

作成当日、遺言者は証人２人とともに公証役場に行き、証人立会いの下で、遺言の内容を公証人に対して口頭で伝え、公証人がこれを書面化し（実際には事前の説明に基づいて案文を作成しておくことが多いようです。）、遺言者と証人が署名・捺印をすることで完成します。

出張による作成、聴覚・言語機能などに障害がある場合の作成方法

自宅で療養中や病院に入院中で公証役場に行けない場合には、遺言者のいる場所に公証人が出張をして公正証書遺言を作成することもできます。

また、通訳人の通訳などによることで、言葉や聴覚に不自由がある方も公正証書遺言を作成できます。

公正証書遺言作成の際の証人の役割

公正証書遺言の作成には、証人2人以上の立会いが必要です。この証人の立会いが必要とされる理由は、以下のような点を証人によって証明できるようにすることで、後日、公正証書遺言の効力をめぐって不要な争いを防止するためといわれています。

①遺言者が本人に間違いないこと

②正常な精神状態で遺言を公証人に口述したことを確かめること

③遺言証書の筆記の正確なこと

また、証明の信用性を担保するため、以下の項目に当てはまる人は、民法の規定により証人になることはできませんので注意が必要です。

①未成年者

②推定相続人および受遺者並びにこれらの配偶者および直系血族

③公証人の配偶者、4親等内の親族、書記および使用人等

なお、適当な証人が自分では確保できない場合は、公証人役場で紹介してもらうこともできます（ただし、一定額の日当が必要となります。）。

その他、例えば、将来、公正証書遺言の有効性が問題となり民事訴訟に発展した場合、公正証書作成に立ち会った証人は、訴訟の尋問手続きに出頭して、遺言書作成当時の状況について証言をする可能性もあります。

公正証書遺言の特徴

①公証人に作成してもらうため、その費用がかかります。公証人に支払

う費用の詳細はQ51を参照してください。

②遺言書の偽造、変造等のおそれはありません。

③公証人が作成しますから、遺言の存在、成立の真正、文意解釈等について争いになることはほとんどありません。

④家庭裁判所による検認手続きが不要です。

⑤入院中の患者の場合、遺言内容を伝えることができれば、公証人に出張を依頼し、医師の立会いの下で作成が可能です（ただし出張依頼は住所管轄の公証人に限ります）。

⑥読み書きのできない人の場合も作成可能です。

公正証書遺言の保管

公正証書遺言は、通常、原本の他、正本・謄本の合計3通が作成されます。原本は公証役場で保管され、正本、謄本は本人に交付されます。

相続が発生した場合は、この正本と謄本で相続登記や預貯金の名義書換を行います。

また、公正証書遺言は原則20年間、必要がある場合は遺言者が100歳になるまで公証役場に保管されます。したがって、紛失、破棄、偽造等の心配はありません。

また、現在では電子検索システムが完備し、全国どこの公証役場に照会しても、公正証書遺言の有無・作成場所が判明します。したがって、相続が開始した後、相続人は公正証書遺言が作成されているかどうかを最寄りの公証役場で検索してもらうのがよいでしょう。

Check

自筆証書遺言の方が作成方法は簡易かもしれませんが、専門家が関与して遺言を作成する場合には公正証書遺言を選択する例が多いのではないかと思います。これは、遺言の有効性をめぐって争いとなる可能性が極めて低い点や偽造などのおそれがない点によるものです。

［書式 8］公正証書遺言の書式例

令和○○年第○○号

遺言公正証書

本職は、遺言者山田太郎の嘱託により、証人甲野一郎・乙野一郎の立ち会いのうえ、次の遺言の趣旨の口述を筆記しこの証書を作成する。

1　遺言者は、妻山田花子に対して次の不動産を相続させる。

⑴　○○市○○町○○丁目○○番
宅地○○．○○平方メートル

⑵　同所同番地所在　　家屋番号　○○番
木造瓦葺平屋建居宅 1 棟　　床面積　○○．○○平方メートル

2　遺言者は、長男山田一郎及び長女鈴木一子に各金○○万円をそれぞれ相続させる。

3　遺言者は、以上を除く残余の財産は全て妻山田花子に相続させる。

4　この遺言の執行者として下記のとおり指定する。

住　所
氏　名

以上

本旨外用件

○○市○○町○○丁目○○番地
無職　　遺言者　山田太郎

上記遺言者は本職氏名を知らず面識がないので、法定の印鑑証明書をもってその人違いでないことを証明させた。

○○市○○町○○丁目○○番地
会社員　　証人　甲野一郎
昭和○○年○○月○○日生
○○市○○町○○丁目○○番地
会社員　　証人　乙野一郎
昭和○○年○○月○○日生

上記遺言者及び証人に読み聞かせたところ各自筆記の正確なことを承認し、下記にそれぞれ署名、押印する。

遺言者　山田太郎　㊞
証　人　甲野一郎　㊞
証　人　乙野一郎　㊞

この証書は民法第 969 条第 1 号ないし第 4 号の方式により作成し、同条第 5 号に基づき本職次に署名押印する。

○○市○○町○○丁目○○番地
○○法務局所属　公証人　○○　○○　㊞

Question
51

公正証書遺言の作成にはいくらかかりますか

自筆で遺言書を書いてみましたが、あとで検認手続きなど面倒だと聞いたので、破棄して公正証書遺言にしようと思います。作成費用などについて教えてください。

公証人に支払う費用は、遺言者が所有する財産額（時価）によって異なります。また、作成の際は遺言者の印鑑証明書、戸籍謄本、実印等を公証人に提出する必要があります。

公正証書遺言の作成費用

公証人手数料令という政令に規定されていて、その概要は図表21のとおりとなっています。

また、例えば、妻に6,000万円、2人の子どもにそれぞれ4,000万円、1,000万円を相続させる場合、相続財産の総額1億1,000万円について計算するのではなく、各人が相続する財産額に応じた手数料をそれぞれ計算した合計額となり（妻分が財産額6,000万円分の手数料4万3,000円、子どもが財産額4,000万円に対する手数料2万9,000円、財産額1,000万円に対する手数料1万7,000円の合計8万9,000円）、これに各種の手数料が加算されることもあります。

公証人や公証役場の職員などでない限りは細かいルールを正確に適用して手数料を計算することは困難ですので、ひとまずは、手数料の相場感を理解しておき、実際の作成の際に見積り・試算をしてもらうことでよいと考えます。

[図表 21] 公証人の手数料（参考）

財産価格（時価）	手数料
100 万円まで	5,000 円
200 万円まで	7,000 円
500 万円まで	11,000 円
1,000 万円まで	17,000 円
3,000 万円まで	23,000 円
5,000 万円まで	29,000 円
1 億円まで	43,000 円
1 億円超 3 億円まで	超過額 5,000 万円ごとに、13,000 円を加算
3 億円超 10 億円まで	超過額 5,000 万円ごとに、11,000 円を加算
10 億円超	超過額 5,000 万円ごとに、8,000 円を加算

公証人に提出する書類等

公正証書遺言の作成を公証人に依頼するにあたって提出する書類等は次のとおりです。書類のうち、固定資産評価証明書など所有財産の価格にかかわるものは、公証人の手数料算定のためのものです。その他の書類は、本人・証人の身分を証明するためのものです。

公証人に提出または当日持参する印鑑、書類、メモ等

①遺言者の戸籍謄本（場合により改正原戸籍謄本）1 通
②不動産の登記簿謄本と固定資産税評価証明書各 1 通
③不動産以外の資産の金額を記したメモ
④遺言者の印鑑証明書
⑤遺言者の実印
⑥証人の認印

⑦証人２人の氏名、住所、生年月日、職業を記したメモ

⑧遺言で財産をもらう人の続柄、氏名、生年月日、法定相続人以外は住所、職業を記したメモ

⑨遺言執行者の職業・氏名を記したメモ

⑩その他公証人が指示した書類

Check

公正証書遺言を作成する際には高額な費用が発生するというイメージを持たれている方も多いのではないかと思います。

しかし、図表21のとおり、手数料は決して法外なものではなく、公正証書を作成する各種のメリットに照らせば、ごく穏当な手数料になっているのではないでしょうか。

Question

52

遺言の撤回はできますか

2人の子どもがいます。そのうち1人を厚遇する内容の公正証書遺言を作成しましたが、考えが変わり、急遽、2人を平等に扱う自筆証書遺言を作成しました。

この場合、2つの遺言はどちらが優先するのでしょうか。一度、遺言をすると撤回はできないのでしょうか。

Answer

複数の遺言の内容が抵触している場合、その部分については、新しい遺言で過去の遺言を取り消したものとみなされます。新しい遺言のほうが遺言者の最も間近の真意を反映していると考えられるからです。

また、遺言の効力については、公正証書遺言と自筆証書遺言とで違いはなく、大切なのは作成された日付となります。

遺言の撤回の自由

遺言は遺言者の生前時の最終的な意思を実現するためのものです。この最終的な意思の尊重という観点から、民法1022条にも「遺言者は、いつでも、遺言の方式に従って、その遺言の全部又は一部を撤回することができる」と規定されています。

質問のケースは、新しい日付の遺言が作成されることで、古い日付の遺言の一部ないし全部が撤回されたことになり、その部分については新しい遺言が優先することになります。

撤回の方法

質問のケースのように新しい遺言を作成する以外にも遺言者が一定の行

為をしたことで撤回をしたと擬制される場合があります（「擬制撤回」）。

この擬制撤回となる場合を整理すると以下のとおりとなります。

①過去の遺言と抵触する遺言を作成する

「Aに全財産を相続させる」という遺言をした後に「Bに全財産を相続させる」という遺言をする場合など

②過去の遺言と抵触する行為をする

「Aに自宅不動産を相続させる」という遺言をした後に、自宅不動産を第三者に売却する場合など

③遺言書を破棄する

遺言書を焼き捨てたり、破いたり、識別不能なほどに塗りつぶす場合など

なお、公正証書遺言については原本が公証役場に保管されているため、手元の謄本などを破棄しても撤回したことにはなりません。

④遺言の目的物を破棄する

「Aに家宝の壺を相続させる」という遺言をした後に、その壺を破壊した場合など

Check

複数の遺言が存在し、その中に自筆証書遺言が存在する場合、まずは自筆証書遺言について検認をする必要があります。

その後で、各遺言の日付の先後や内容の抵触の有無などを検討して、遺言の撤回がなされているのか慎重に判断をしましょう。

また、遺言者も、自分の死後に複数の遺言をめぐって関係者が混乱することのないよう、撤回を明確に行い、解釈の余地を残さないよう配慮するのがよいでしょう。

Question

53

「相続させる」と「遺贈する」の違いについて知りたい

父が亡くなり、相続人は母と私の2人です。父は遺言を作成していて、「自宅は妻に相続させる。預金は息子に相続させる」と記載されていました。母と私はこの遺言に従って不動産の登記手続きや金融機関の預貯金払戻しの手続きができるのでしょうか。

また、「相続させる」という表現は「遺贈する」という表現と何か違うのでしょうか。

Answer

相談者や母親は改めて遺産分割をする必要はなく、それぞれ「相続させる」という遺言に基づいて単独で登記手続きと預貯金の解約手続きとを行うことができます。

「相続させる」という遺言により、相続開始と同時に対象の財産はその相続人のものとなります。

したがって、相続人は単独で登記手続きや預貯金払戻しの手続きなどを行うことができます。

「相続させる」旨の遺言をめぐる議論

Q44でも触れた遺言で決めることのできる事項の代表的なものとして、①相続分の指定、②遺産分割方法の指定、③遺贈という3つの行為があります。

①相続分の指定は、法定相続分とは異なる相続分を指定することで（例えば、配偶者と子どもの相続分を法定相続分である1/2ずつではなく、妻

2/3、子ども 1/3 と指定するなど)、具体的にどの相続財産が誰に帰属するのかは、改めて相続人間で遺産分割協議をしないと決まりません。

これに対して、②遺産分割方法の指定は、相続財産やそれを処分した現金の分割の仕方を指定することで（例えば、A 不動産は配偶者に、B 不動産は子どもに帰属させると指定する場合や不動産を売却した代金のうちどの部分を誰に取得させるか指定する場合)、①相続分の指定とは異なり、財産を取得した者は単独で登記手続きなどを行うことができます。

③遺贈は、遺言によって財産を他の者に譲ることですが（例えば、相続財産のうち田畑は世話になった遠縁の○○さんに譲るとした場合)、②遺産分割方法の指定とは異なり、不動産登記手続きは、遺贈を受けた者（受遺者）と相続人が共同で行う必要があります。

このような３つの類型の行為との関係で、「相続させる」旨の遺言をどのように位置付ければいいかについて、かつて公証実務と裁判実務で違いが見られることがあり、現場に混乱がありました。

最高裁判例による解決

最高裁平成 3 年 4 月 19 日判決は、「相続させる」旨の遺言は特段の理由のない限り遺産分割方法の指定であり、遺産分割をすることなく、被相続人が死亡すると同時に「相続させる」とされた相続人に対してその財産は引き継がれると判断しました。

また、その後も上記の判断の延長線として各種の判例が出されています。

登記実務などの整理

遺言を作成する現場では、相続人に財産を帰属させる場合には「相続させる」旨の文言を使い、相続人以外の者に財産を帰属させる場合は「遺贈する」の文言を使うという区別が定着しています。

そして、不動産の登記手続きの場面では、「相続させる」旨の遺言の場合には、その不動産につき相続人が単独で登記申請ができますが、「遺贈する」とした場合は単独申請ができず、相続人全員が登記義務者として遺贈を受けた者と共同で申請をする必要があります。

また、その不動産が農地であるとき、「相続させる」とした場合には、農地法（知事）の許可は不要ですが、「遺贈する」とした場合には、包括遺贈（遺言者の財産の全部または割合で示したその一部を遺贈の対象とすること）の場合を除き、農地法の許可が必要です。

その他、相続財産が借地権、借家権である場合、「相続させる」とした場合は賃貸人の承諾は不用です。

以上のとおり、相続人に財産を帰属させる場合、特に相続財産のなかに不動産がある場合は、「相続させる」の文言を用いたほうが利点があります。ただし、「遺贈する」としても遺言が無効になるわけではありません。

Check

「相続させる」旨の遺言をめぐる主要な争点については実務上決着がついていて、①相続分の指定、②遺産分割方法の指定、③遺贈といった類似の行為を正確に理解するには非常にいい題材となります。

興味がある方は、さらに掘り下げて調べてみるのもよいかもしれません。

Question

54

遺留分について知りたい

6カ月前に父が他界しました（母は3年前に死亡、相続人は長男と長女の私）。父の遺言書には「全ての財産を長男に相続させる」と書いてありました。兄は遺言執行者にも指定されていて、遺言書どおり執行し、私には遺産を一切分配しないと言っています。遺産を兄が独り占めすることには納得がいきません。私には遺産配分の権利はないのでしょうか。

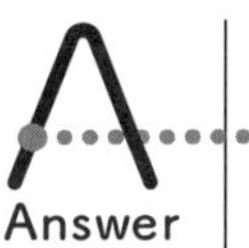

あなたには、「遺留分」という権利があります。

遺留分とは、相続人が遺言によっても奪われることなく、当然取得できるものとして民法が保障する最低限度の相続分です。

遺留分とは

遺言を作成する場合には遺言者の意思を最大限尊重する必要があります。

しかしながら、相続財産の中には相続人の協力によって形成された部分（潜在的持分）が存在している例も多いですし、残された家族の生活保障の観点からはあまりに偏った内容の遺言を無条件で許容することも相当ではありません。

そこで、相続人に最低限度保障される相続分として「遺留分」という権利が認められ、この遺留分については被相続人の意思によっても奪うことができないようになっています。

遺留分権利者と遺留分の割合

遺留分の権利者は、①配偶者、②直系卑属（被相続人の子ども、代襲相続の孫等）、③直系尊属（被相続人の父母、祖父母等）になります。被相続人の兄弟姉妹には遺留分はありません。

また、下表のとおり、民法で各権利者の遺留分の割合も規定されています。

[図表 22] 遺留分の割合

相続人	法定相続分	遺留分の割合
配偶者、直系卑属（子など）	1/ 2	法定相続分の1/2
直系尊属（父母、祖父母）	1/3	法定相続分の1/3
兄弟姉妹	1/4	なし

質問のケースの場合

兄に対して「遺留分の減殺請求」を行い、遺産の一部を取り戻すことができます。相続人は子ども 2 人ですから、相談者の遺留分は全体の財産の 4 分の 1 となります（法定相続分 1/2 × 遺留分 1/2）。

父の遺言によっても相談者の遺留分 4 分の 1 の財産については奪うことはできません。

Check

代襲相続人も遺留分権利者となります。これに対して、包括受遺者は相続人と同一の権利義務を有しますが、相続人と完全に同一になるわけではないので、遺留分権利者とはなりません。

また、相続欠格者、相続人であることを廃除された人、相続を放棄した人も遺留分を有しません。

なお、相続の放棄と異なり、相続開始前でも遺留分の放棄はできますが、家庭裁判所の許可が必要です（Q 15 参照）。

Question

55

遺留分を主張したい

父が死亡して6カ月が経ちました。「全財産を相続させる」旨の遺言により全遺産を取得した兄に対して遺留分の権利を行使したいのですが、時期の制限はあるのでしょうか。

また、最近、遺留分に関する法律に変更があったと聞きましたが、どのような変更なのでしょうか。

Answer

父が死亡したのは6カ月前ですから、相続の開始および減殺すべき贈与または遺贈があったことを知った時から1年間という時効期間に注意して、遺留分侵害額請求の意思表示をしておく必要があります。

また、父が亡くなったのが令和元年7月1日以降の場合には、平成30年改正相続法の適用により、遺留分侵害額請求の意思表示の後は金銭債権を行使することになりますから、10年間ないし5年間の消滅時効に注意をする必要があります。

遺留分の権利を行使する請求権は、これまでは「遺留分減殺請求権」と呼ばれていましたが、平成30年改正相続法で「遺留分侵害額請求権」と呼ばれるようになりました（本稿では後者で統一します）。

この遺留分侵害額請求権は、①遺留分を侵害する贈与・遺贈があったことを知った時から1年、②相続開始から10年という2つの消滅時効に服するほか、遺留分侵害額を請求した結果、取得する金銭債権についても、③発生時期に応じて10年ないし5年間の消滅時効に服します。

上記とも関連しますが、平成30年相続法改正では、遺留分に関する権利を行使した効果についても重要な改正がありました。

遺留分侵害額請求権の時効

遺留分を侵害された相続人は、直ちに「遺留分侵害額請求」の意思表示をする必要があります。遺留分侵害額請求とは、遺留分を侵害された相続人が、侵害している相続人に対して、遺留分の権利を行使する意思表示で、意思表示の時期を明らかにするために、内容証明郵便で通知するのが一般的です。

この請求権は、遺留分権利者が相続の開始および減殺すべき贈与または遺贈があったことを知った時から、1年間行使しないと時効によって消滅します。また、相続開始から10年が経過した場合も時効によって消滅します。

さらに、以下の平成30年改正相続法とも関係しますが、遺留分侵害額請求により遺留分権者が取得した金銭債権の消滅時効期間は、令和2年3月31日までに発生した債権については10年間、令和2年4月1日以降発生した債権については原則5年間となります。

平成30年改正相続法

かつては遺留分減殺請求権が行使された場合には「物権的効果」があるとされ、例えば、対象の財産が不動産の場合には遺留分の権利行使によって当然に共有状態になるとされていました（質問のケースで言えば兄と相談者の共有）。そのため、遺留分の権利行使をしても、途中で円満に和解などができた場合を除いて、不動産が共有状態になってしまう結果、共有状態を解消するために別途訴訟等をする必要があり、事業に不可欠な不動産が共有状態となることで円滑な事業承継ができなくなる事例も発生しました。

このような状況を踏まえて、平成30年改正相続法により、遺留分の権利を行使すると遺留分侵害額に相当する金銭債権が生じることとされました。

また、遺留分侵害額の金額が大きい場合には、請求を受けた者が不動産の処分を強いられる結果になってしまうため、平成30年改正相続法によって「期限の許与」の制度が設けられました。遺留分侵害額の請求を受けた受遺者などは裁判所に債務の全部または一部の支払いについて期限の許与を求めることができるようになりました。

これらの改正は令和元年7月1日以降に発生した相続に適用されます。

Check

相続法改正により相続開始がどの時期であるかによって遺留分の効果や消滅時効期間に違いが生じます。

いずれにせよ速やかな対応が必要ですので、遺留分が侵害されていることが分かったらすぐに専門家に相談するなど対応を開始してください。

Question

56

子どもがいない場合の遺言の注意点を教えてほしい

私たち夫婦には子どもがいませんが、私には何人かの兄弟姉妹がいます。遺言を作成していないとどのような危険がありますか、また遺言を作成する際にはどのような点に注意したらいいのか教えてください。

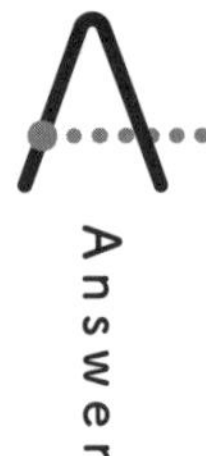

妻と夫の兄弟姉妹が法定相続人である場合、相続分は妻が3/4、夫の兄弟姉妹が1/4となります。夫の死後、残された妻と義理の兄弟姉妹間で遺産分割の協議を行う必要が出てきますので、関係が良好でなかった場合などは相続に支障をきたすおそれがあります。

また、夫の兄弟姉妹が死亡していた場合は代襲相続が生じます。残された妻と義理の兄弟の子らとの間で遺産分割協議を行うためコミュニケーションがより困難になるおそれがあります。

遺言がある場合

「全ての財産を妻○○に相続させる」という内容の遺言があれば、夫の死亡と同時に、妻は当然にすべての財産を取得します。

夫の兄弟姉妹には遺留分がないため（Q54参照）、妻と義理の兄弟姉妹の間で遺産分割協議をする必要もありません。

したがって、妻の生活保障や相続開始後の混乱を避ける意味でも遺言を作成しておくことをお勧めします。

また、「全ての財産を妻○○に相続させる」という遺言を作成していた場合でも、夫よりも先に妻が死んでしまうと、その遺言は効力を失ってしまい、妻が受けるはずであった財産は、遺言者の兄弟姉妹（または、おい・めい）などの相続人に相続されることになります。

遺言者がそのような結果を望まない場合、改めて遺言を書き直すこともできますが、その時点で認知症が進行するなどして遺言者が遺言能力を喪失していることも考えられます。

これを想定して、遺言書には、あらかじめ妻を相続人とする内容で作成するときに、同時に「予備的遺言」を書くことができます。

予備的遺言とは、遺言で財産をもらう人が、遺言者（被相続人）より先に死亡した場合、次は誰がもらうのかということを同じ遺言の中で予備的に定めておくことをいいます。「もしも妻花子が遺言者と同時または遺言者に先立って死亡した場合は○○に……」のように書くものです。

遺言で、予備的に、第２次の受遺者となる人をあらかじめ定めておきますと、第１次の妻が遺言者より先に死亡しても、第２次の受遺者が遺贈を受けることができます。この予備的遺言の受遺者は、妻の相続人の相続人に限らず、第三者であっても差し支えありません。

Check

予備的遺言の活用法

①特定の財産について相続争いが予想される場合、特定の財産について特定の相続人を指定します。

②特定の財産について、指定相続人が遺言者より先に死亡した場合に起きる争いを防ぐため、予備的に次の相続人を指定します。

③指定相続人に相続させた財産を、指定相続人死亡後、次の相続人に相続させたい場合、指定相続人に、同人の死後、次の相続人に相続させるよう依頼します。

※本来、妻は自分の意思で相続人を（遺言で）指定できますが､あらかじめ（付言で）意思を拘束することにより、意思決定の心的負担を軽減させる効果があります。

Question

57

遺言書を無視することはできますか

父が先月他界しました。母はすでに亡くなり、子どもは３人です。自筆の遺言書が発見されましたが、最期まで数年にわたって父の介護に尽くした姉（長女）への遺産配分は、他の相続人と同じでした。姉への配分を増やしてあげたいのですが、遺言書に拘束されずに遺産分割により相続手続きをしてもよいのでしょうか。

Answer

相続人全員が合意すれば可能です。

遺言の内容が法的に有効であれば、相続人はそれに拘束されます。しかし、遺言によって権利を与えられた人が、自分の権利を放棄することは自由です。したがって、相続人全員が協議して意見が一致すれば、遺言の内容と異なる相続手続きをすることができます。

ただし、この場合には遺産分割協議書が必要となります。また、遺言書に遺言執行者が指定されている場合には、その人に遺言執行者への就職を辞退してもらう必要があります。

Check

相続の実際は、全く介護の世話をしなかった相続人までが、ことによると、より多くの遺産を取りにかかるという厳しい世界です。常識的には、介護の世話をした人が寄与分を要求することになります。質問のような例が増えることを願います。

Question

58

内縁の相手に財産を残したい

私は、今の妻と長年連れ添っていますが、事情があって婚姻届を出していません。私が万一のとき妻が生活していけるように財産分けの遺言をするつもりです。どのような点に注意をしたらよいでしょうか。なお、私と先妻の間には子どもが１人います。

内縁の配偶者には、法律上の配偶者とは異なり相続権がなく、遺言書を作成することによって財産を「遺贈」することができます。ただし、子どもの「遺留分」には十分に配慮する必要があります。

内縁の配偶者の法律的な立場

被相続人に法律上の配偶者がいれば常に法定相続人となります。

しかし、内縁の配偶者は法律上の配偶者ではないため、法律婚主義の下、たとえ長年にわたって生活を共にしていたとしても相続権はありません。

また、たとえ、内縁の配偶者が被相続人の財産が形成・維持に貢献していたとしても、相続人ではないため寄与分は認められず、親族でもないため平成 30 年改正相続法で設けられた「特別の寄与」（Q21 参照）を主張することもできません。

社会保険（健康保険・国民年金・厚生年金）や公的扶助などの場面では、内縁の配偶者を法律上の配偶者に準じて保護する運用も増えてきていますが、相続の場面では内縁の配偶者と法律上の配偶者との間には明確な違いがあります。

遺言などの活用

このような法律的な立場にある内縁の配偶者に財産を残すには、「生前贈与」、「死因贈与」、「遺贈」の３つの方法のいずれかを活用することになります。

税金の面からは、贈与税より相続税のほうが税額は低くなるケースが多いので、遺言で財産を「遺贈」をするのが現実的でしょう。

なお、死因贈与とは、生前に「死んだらあげる」、「はい、いただきましょう」という契約を交わして行う贈与のことです。

質問のケースの場合

相談者の相続人は子１人ですので、遺言がなければ、あなたの財産は全て子どもに相続されますが、相談者が遺言書を作成して遺贈しておけば、内縁の妻に財産を残すことが可能です。

ただし、子の遺留分を侵害しないこと（質問のケースで言えば、相続人は子どもただ１人なので、遺留分は２分の１となります）、内縁の妻とあなたの子とは他人であるため、二次相続の対象にはならないこと（妻名義の財産は、妻の身内が相続する）など十分に考慮したうえで、遺言書を作成されることをお勧めします。

Check

質問のケースとは異なり、被相続人に法定相続人が一切いない場合には、相続財産は最終的には国庫に帰属することになりますが、内縁の配偶者も特別縁故者として相続財産の分与を受けることができる可能性があります（Q08 参照）。

たとえば、内縁の配偶者にて家庭裁判所に相続財産管理人の選任の申立てをした上、相続財産管理人が被相続人の債務などを弁済した後も残余財産があれば、その中から、内縁関係の期間や相続財産の形成・維持への貢

献の程度などを考慮した上、特別縁故者に対する相続財産の分与がなされます。

ただ、この特別縁故者に対する相続財産の分与は当然に行われるものではなく、分与を希望する者からの申立てが必要です。この申立ては相続人の存在を捜索する官報などによる公告が満了してから3カ月以内になされる必要がありますので、申立て期間にはくれぐれも注意してください。

Question

59

同性パートナーに財産を遺すにはどうすれば良いですか

私には一緒に住む同性のパートナーがいます。私に万一のことがあっても、私名義のマンションに住めるようにするなど、財産を遺すにはどうすれば良いでしょうか。

現在では、たまたま親族関係にあるといった場合を除き、同性のパートナー間では法定相続分はもちろん、遺留分もありません。養子縁組や遺言といった既存の制度を利用して、自らが望む形に一番近い結論を確保するほかありません。

パートナーシップ制度

日本では同性婚は認められていませんが、一部の自治体では「パートナーシップ制度」という制度を設け、一定の基準を満たす同性のパートナーを事実婚（内縁関係）に準じて取り扱うことが始まっています。

例えば、渋谷区の場合には、「男女の婚姻関係と異ならない程度の実質を備えた、戸籍上の性別が同じ二者間の社会生活における関係」をパートナーシップと定義し、一定の要件を満たす場合にはパートナーシップにあることの証明書を発行しています。

自治体や企業などによって差はありますが、①公営住宅などへの入居申込みが可能になる、②パートナーで住宅ローンを借りられる、③生命保険の死亡保険金の受取人になれる、④携帯電話の家族割引の適用がある、などといった取扱いをしてもらえる場合があるようです。

パートナー間での相続

以上のようなパートナーシップ制度もありますが、あくまで事実婚（内縁関係）に準じた取扱いがなされるにとどまり、我が国の法律婚主義の下では、内縁関係と同様に同性のパートナー間では相続は認められていません。

遺言の活用

パートナーという関係と少しずれてしまう感もありますが、養子縁組を利用してパートナーに相続権を持たせる方法も考えられます。小規模宅地などの特例といった税法上の優遇措置を受ける可能性がある点が、この養子縁組のメリットです。

また、養親・養子という法律上の関係に違和感がある場合には、自らの財産を同性のパートナーに遺贈するといった内容の遺言を作成しておくこともできます。

この場合、内縁関係に関する質問（Q58）で述べたように、法定相続人の遺留分を侵害しないよう配慮する必要があります。

Check

今後、社会の価値観の変化とともに同性のパートナー間での相続についても何らかの新しい制度ができることがあるかもしれません。

しかし、現時点では、養子縁組や遺言といった既存の制度を利用することになり、事前の十分な準備が必要となりますから、早めに検討をしましょう。

Question

60

相続の条件として配偶者の面倒を見てもらいたい

私の死後、残される妻の面倒をみてくれる条件で、めいに財産を譲りたいと考えています。

少しでも確実にめいに妻の面倒をみてもらうよい方法はないでしょうか。

妻の生存中の身の周りの面倒をみるという負担を条件として将来の遺贈を遺言する「負担付遺贈」を利用することで、めいに妻の面倒をみてもらうよう準備するのがよいでしょう。

負担付遺贈とは

遺言により財産を贈与する者（遺贈者）がその財産を受け取る者（受遺者）に対して、財産を受け取ることと引換えに一定の義務を負担してもらう遺贈のことを「負担付遺贈」といいます。

この負担付遺贈については、遺贈者の希望を尊重する必要がある一方、他方で自分の意思によらず一定の義務を負うことになる受遺者の立場への配慮も必要です。たとえば、わずかな遺贈の引換えに非常に重い負担を強いられたのでは、あまりに受遺者に酷です。

民法ではこのような２つの要請に即したルールを定めています。

負担付遺贈の特徴

①負担の内容が適法な法的義務であること

負担の内容は、たとえば「全財産を遺贈するが、私の妻に毎月10万円ずつ支払うこと」といった法的義務でなければならず、犯罪行為などが負担となる場合には遺言自体が公序良俗違反を理由に無効となると考えられます。

②負担の承継

受遺者が負担を履行しないで死亡したときは、受遺者の相続人がその義務を継承します。

③義務を履行しない受遺者に対する催告

受遺者が義務を履行しない場合、遺言者の相続人および遺言執行者は受遺者に対して義務の履行を請求することができます。

④負担付遺贈の取消し請求

催告をしても受遺者が義務を履行しない場合、相続人らは家庭裁判所に対して、遺贈を取り消す審判を求めることができます。

⑤負担の限度

受遺者の義務は遺贈された目的物の価格を超えない範囲に限られます。これは受遺者が負担を履行する時を基準に判断され、負担の価格が遺贈の目的の価格を超えるときは、その超過分だけ無効となります。

⑥遺贈の放棄

受遺者は負担付遺贈を放棄することができます。

受遺者が放棄をした場合、遺言に特に定めがない限り、受益者（質問のケースの妻）が受遺者になることができますが、負担の意味はなくなるので、通常の相続の場合と同様の結果となります。

Check

負担の内容について、遺贈者は受遺者が考える以上に過大な期待を抱く傾向があります。

また、遺贈は、売買のように両当事者間の意思に基づいて結ばれる契約ではなく、遺贈者（遺言者）によって一方的になされる法律行為で（講学

上「単独行為」といいます。)、受遺者にとっては「いい迷惑」となるおそれもあります。

負担付遺贈をする場合には、受遺者の負担が重すぎないかという点に配慮しながら、事前に利害関係のある親族などとよく話合いをしておくことをお勧めします。

Question

61

市区町村・病院・福祉施設等へ遺贈したい

私には子どもがいません。妻は3年前に死亡し、私の両親や祖父母も死亡しています。おい・めいはいますが、付合いはありません。私は今、介護で地域のお世話になっております。せめてものお礼に、私名義の不動産を○○市に遺贈したいと思います。遺言の書き方を教えてください。

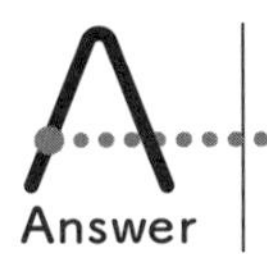

遺言書で、「○○(あなたの名前)の財産は○○市に遺贈する」と書いておくことになります。

相続人の範囲と順位、遺留分

相続人の範囲や順位については民法に定めがあり(Q2参照)、質問のケースのように妻、第1順位の法定相続人である子ども、第2順位の法定相続人である親などもいないケースでは、第3順位の法定相続人である兄弟姉妹またはその代襲相続人(おい・めい)に相続人となります。

ただし、これは遺言がない場合のことですから、あなたが遺言書で「○○市へ遺贈する」と書けば、兄弟姉妹(死亡している場合はおい・めい)には遺留分がありませんので、全ての財産は希望する自治体・団体に遺贈されます。

また、同じような趣旨から、救急活動用の特殊車両を自治体に遺贈した例を見たことがあります。その例では、信頼できる遺言執行者が選任され(Q63)、その遺言執行者が特殊車両を発注し、完成した特殊車両を自治体に寄付していました。

財団法人の設立

遺言で「財団法人設立のための寄付行為」をすることもできます（Q44参照）。

独立の法人格を相続財産の持ち主として立ち上げ、あなたの遺志・価値観に従った活動を続けていくこともできます。有名な例として、「ノーベル賞」を主宰する「ノーベル財団」があります。ダイナマイトの発明者であるアルフレッド・ノーベルは、彼の遺産を管理しノーベル賞を主宰していくために遺言によりノーベル財団を設立しました。

Check

近年、少子高齢化により、子どものいない高齢者や親の面倒を見ない子どもが増えています。身体が弱かったり判断能力が低下したとき、誰に頼るかは人生の大問題になってきました。

遺言がなければ、何の世話もしなかった遠い身内の誰かが全財産を相続することになりますが、親身に世話をしてくれた人や市区町村、病院・施設にせめてものお礼をしたいのは人情です。健康なうちに、遺言書を作成しておくことをお勧めします。

Question

62

特定の子どもに農地を相続させたい

妻と農協に勤務する次男と３人で、約２ヘクタールの農地を耕作しております。いずれこの農地は次男に相続させたいのですが、都会に住んでいる長男と三男が相続分を主張しないかと心配です。どのような遺言を書けばよいでしょうか。

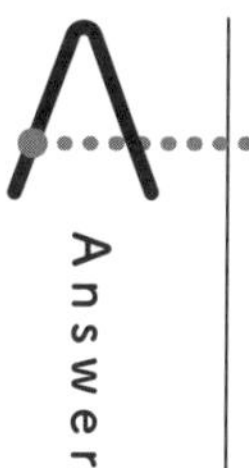

農地や店舗、工場など事業用資産の承継は、分けてしまえばその事業が成り立たないという共通の問題を抱えています。他の相続人の遺留分に配慮した遺言をする必要があります。
また、事業承継の円滑化を図る目的から、平成30年改正相続法で遺留分の権利を行使しても、事業用資産が共有状態とならずに済むようになりました。

遺言による遺産分割方法の指定

次男の代も農業を継続させるための対策としては、遺言書で遺産分割方法の指定をするとよいでしょう。ただし、長男、三男の遺留分を侵害しないような配慮が必要です。

あなたの場合、たとえば農地を含め農業を続けられるだけの資産を次男に相続させ、それ以外の財産を長男と三男に相続させるという内容の遺言を作成してもよいのかもしれません。

遺留分への配慮

相続財産の大部分を農地が占める場合には、遺言によって長男・三男の遺留分を侵害してしまう可能性が高く、かつての民法の下では、遺留分の権利が行使されると農地が3人の子どもたちの共有状態となってしまい、事業の承継が困難になってしまうおそれがありました。

そこで、平成30年改正相続法により、遺留分の権利を行使すると遺留分侵害額に相当する金銭債権が生じることとされ、令和元年7月1日以降に発生した相続にはこの改正相続法が適用されます（Q55参照）。

したがって、質問のケースで相談者の方が亡くなるのが令和元年7月1日以降の場合には、改正相続法の適用によって、遺留分を侵害された長男・三男も次男に対して侵害分相当額の金銭を請求できるにとどまり、さらにその金銭の支払いについては期限の許与が認められる可能性もあります。

その他、遺言の中に「次男は主な財産を相続する代わりに、母を終生扶養・介護すること」という負担付相続を記載するとともに、「付言事項」として「次男は農業を継ぎ、母の面倒を見るので、長男と三男はこの遺言に対して不服を述べたり、権利を主張しないように」と記載しておけば、全員の納得が期待されやすいといえるでしょう。

☛ Check

農業や店舗・工場などの事業経営者は、生前から円満な事業の承継方法を考えておく必要があります。

法人の場合には、事業承継者には「中小企業経営承継円滑化法」の活用を検討すべきです。事業承継にあたって、税法上の優遇措置や金融機関からの追加融資を得ることができる場合があります。

また、相続時精算課税制度を利用して生前から株式または出資証券を贈与しておくことや、事業承継者以外の者には、最低遺留分に見合う金額の現金、預貯金、有価証券、貸家などの遺産配分を決めておくことも有効です。

いずれにせよ十分な余裕をもって事前に専門家に相談をすることをお勧めします。

Question
63
遺言執行者を指定することの意義を教えてください

遺言の作成を予定していますが、私の死後、子どもたちは不動産の名義変更や預金の解約などを遺言のとおりに実行できるでしょうか。遺言の実行を確保する方法はありますか。

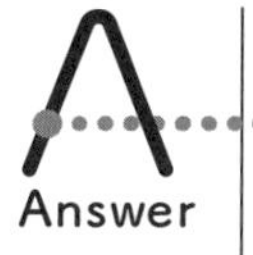

遺言の中で、信頼できる人物を「遺言執行者」に指定しておくのがよいでしょう。遺言執行者に、不動産の名義変更や預金の解約などを遺言の内容を実現する権限が与えられます。

遺言執行者とは

遺言の内容を実現する権限を与えられた者を「遺言執行者」といいます。

遺言執行者の資格に制限はなく、未成年者や破産者といった欠格事由者以外なら誰でも遺言執行者になれます。相続人や受遺者自らが遺言執行者になることもできますし、相続人とは違う第三者的な立場として弁護士、税理士、司法書士などの専門家が遺言執行者になる例も多いです。

また、遺言書で遺言執行者に指定された者が就職を承諾しなかった場合やそもそも遺言書で遺言執行者が指定されていない場合には、利害関係人は家庭裁判所に遺言執行者を選任する審判を求めることもできます。

遺言執行者の権限

遺言執行者は、相続財産の管理その他遺言の執行に必要な一切の行為をする権利義務を有しています。例えば、受遺者に引渡しをする必要のある相続財産の中に不法占拠者がいる場合には、遺言執行者は明渡しを求める訴訟や強制執行手続きを行うこともできます。

遺言の内容のうち、相続分の指定などは遺言の効力発生と同時に当然に実現されますので、遺言執行者による執行行為は必要ありませんが、遺贈、財団法人設立のための寄付行為、信託の設定などについては、執行行為によって遺言の内容を実現する必要があり、遺言施行者または相続人がこれを執行することができます。

また、認知、相続人の廃除および廃除の取消しという3つについては必ず遺言執行者を指定して、遺言執行者に執行をしてもらう必要があります。

遺言執行者の職務

遺言執行者の一般的な職務としては、次のものがあげられます。

①財産目録を作ること（遺言執行者の名において、専門家である弁護士や司法書士に依頼する方法もある）

②財産目録を相続人に交付し、相続財産を管理すること

③不動産の登記（遺言執行者がいる場合の登記義務者は遺言執行者のみ）

④預貯金の払い戻し

⑤相続人の廃除・廃除の取り消し

⑥財団法人の設立

⑦財産の寄付

⑧認知の届出（就職の日から10日以内に遺言書の謄本を添付して行う）

Check

不動産の登記や預貯金の解約などは相続人や受遺者で行うこともできますが、戸籍謄本などの必要書類の収集などの各種事務に慣れている専門家を遺言執行者に指定した方が、処理がスムーズに進むことが期待できます。

また、子の認知や廃除・廃除の取消しについては、相続人などによる執行が期待できない、あるいは相続人などが執行した場合の混乱が大きいため、遺言執行者を選任して執行してもらう必要があります。

Question

64

遺言執行者の辞退や遺言執行者の死亡について知りたい

知人の遺言書で私が遺言執行者に指定されていることが分かりました。辞退はできるのでしょうか。

また、仮に、知人よりも先に私が死亡した場合には、遺言執行者はどうなってしまうのでしょうか。

遺言執行者に指定された人も遺言者への就職が義務付けられるものではなく、就職を辞退することができます。

また、遺言者よりも先に遺言執行者に指定された人が死亡していた場合には、遺言執行者の指定はなかったことになり、家庭裁判所に遺言執行者を選任する審判を求める必要があります。

遺言執行者の就職

遺言執行者は、遺言者の指定によって当然に遺言執行者になるのではなく、その承諾によって初めて遺言執行者となります。

この遺言執行者への就職が不確定な期間が続くと、相続人をはじめとする利害関係人は不安定な立場に置かれてしまいます。そこで、利害関係人は期間を定めて遺言執行者への就職を承諾するか否か催告をし、就職を拒んだときは家庭裁判所へ代わりの人を選任する審判を求めることができます。

また、一度、遺言執行者に就職した後も、正当な理由があるときは、家庭裁判所の許可を得て辞任することができます。この辞任の正当な理由としては、遺言を適切に執行できない個人的な事情、たとえば、病気、長期出張などが該当するものと考えられます。

その他、就職した遺言執行者に、処理を放置するといった任務懈怠があったときは、利害関係人は家庭裁判所に解任を請求することができます。

Check

遺言執行者の責任は重く、その業務も多岐にわたります。知人を遺言執行者に指定するときには、あらかじめ遺言執行予定者の承諾を得ておくなどの準備が必要と考えます。

65 遺言執行費用について知りたい

自筆の遺言書を書き始めてみました。遺言執行者に知り合いのファイナンシャル・プランナー（ＦＰ）を指定したいと思っていますが、費用はいつの時点でどのくらい払えばよいのでしょうか。

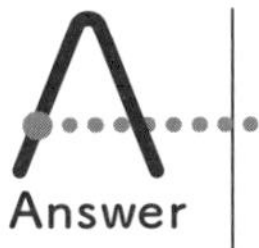

遺言執行費用は、遺言書の中で定められている金額または家庭裁判所が決定した金額を相続財産の中から支払うことになります。

遺言執行は、遺言を実現するためのものですから、遺言執行費用は遺言者の財産である相続財産から負担すべきものと民法で定めています。

遺言執行費用としては、相続財産目録調製費用、相続財産管理費用、遺言執行者報酬等があります。遺言執行者はこれらの諸費用を相続財産の中から支払いを受けることができます。

遺言執行者の報酬は、遺言書で定めている場合にはそれによることになりますが、定めていない場合には家庭裁判所に決定してもらう必要があります。

家庭裁判所は、遺言対象財産の状況、執行に当たってどれほどの困難性があるかなどを総合的に判断して具体的な報酬額を決めます。

参考資料として、ある信託銀行の手数料の例を［図表23］に掲げます。

Check

責任の重大性から遺言執行者の職務には相応の費用が発生します。

専門家を遺言執行者に指定するときには、事前に見積書の作成を依頼し

ておくとよいでしょう。

［図表 23］遺言執行費用の例（ある信託銀行の場合）

遺産整理報酬		
最低報酬額		105 万円
財産比例報酬	1 億円以下の部分	1.470%
	1 億円超 3 億円以下の部分	0.840%
	3 億円超 5 億円以下の部分	0.525%
	5 億円超 10 億円以下の部分	0.420%
	10 億円超の部分	0.315%
遺言執行費用		
最低報酬額		105 万円
財産比例報酬	1 億円以下の部分	1.785%
	1 億円超 3 億円以下の部分	1.050%
	3 億円超 5 億円以下の部分	0.630%
	5 億円超 10 億円の部分	0.420%
	10 億円超の部分	0.315%

※相続財産の価額は、遺産整理報酬の場合、相続開始時の積極財産の金額で相続税評価額。遺言執行費用の場合、遺言執行時の積極財産の金額で相続税評価額。
※相続登記費用その他の実費は、別途負担（司法書士・税理士などから直接請求）。

Question
66
共同で遺言書を作りたい

私たち夫婦はともに85歳です。お互い、先はそれほど長くはないと思いますので、共同で一枚の紙に遺言書を書いておこうと思いますが、可否を教えてください。

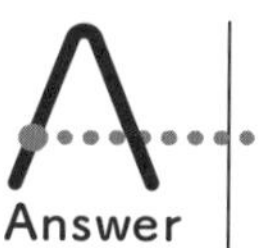

共同の遺言は認められません。

民法975条は、共同の遺言を禁止しています。これは、法的な権利関係が不安定、不明確になることを防いだり、共同で遺言をすることで一方の遺言者の撤回の自由が事実上妨げられてしまうことを防ぐためです。

したがって、夫婦が共同で同一の証書で遺言書を書くと無効となってしまいます。

Check

民法は、同一の証書で遺言することを禁止しているのであって、別々の遺言書で相互に同一の内容の遺言をすることは、全く問題はありません。

Question
67
遺言の効力を争いたい

父が死亡しました。兄が保管していた自筆証書遺言について検認手続きを行ったところ、死亡する３日前の日付の遺言書で、兄に全財産を相続させるという内容でした。死亡する直前の時期は父の意識はもうろうとしていて、兄が保管していた遺言書が父の本当の意思に基づくものとは到底考えられません。このような遺言書の効力を争うことはできませんか。

Q49でも解説したとおり、検認手続きをしたとしても自筆証書遺言が有効か無効か確定するわけではありません。

内容に疑問がある遺言書については、地方裁判所に遺言無効確認の訴えを提起して、効力を争うことができます。

遺言能力

民法963条は「遺言者は、遺言をする時においてその能力を有しなければならない」と規定して、遺言が有効であるためには遺言能力（意思能力）が必要であるとされています。この遺言能力（意思能力）は、自分の法律行為の結果を判断できる精神能力といわれています。

遺言は財産の処分に関する遺言者の最終的な意思ですから、遺言能力（意思能力）がない人の遺言はそもそもその人の有効な意思とはいえません。

遺言無効確認の訴え

相続人間で遺言が無効であることについて共通認識を持てればよいですが、遺言の効力をめぐって相続人間で争いがある場合は、遺言の無効を主張する相続人は、遺言が有効であると主張する相続人を相手として、遺言無効確認の訴えを提起する必要があります。なお、訴える相手方が相続人全員なのか、一部で足りるのかについては学説に争いがあります。

この訴訟で遺言が無効になる代表的な理由には、質問のケースのような①遺言能力の欠如の場合、のほか、②公序良俗違反、③錯誤・詐欺・脅迫による取消し、④共同遺言禁止の違反、⑤公正証書遺言の証人の欠格事由、⑤方式の違背などが考えられます。

裁判例で争いになった事例

遺言能力の有無が争いになった事例で、裁判所は、単に認知症や脳梗塞が発症したというだけで遺言能力がないとは判断せず、症状の経過・程度などを詳細に検討して遺言作成時の遺言能力の有無を判断しています。

例えば、脳梗塞を発症していた老人について、入院中の生活状況、言動、症状、遺言書を作成したきっかけ、遺言書作成時の状況などを詳細に検討するとともに、鑑定結果も考慮して遺言能力を肯定した例がある一方、認知症が進行していた老人について、周囲の者の指示に従って文字を書く能力はあったが、自分の行為の意味・効果を認識して、どんな行為をすべきか判断する能力は失われていたとして遺言能力を否定した例もあります。

また、公正証書遺言の場合は、公証人により遺言能力のチェックがなされ、証人も作成に立ち会っていることから、遺言能力の存在について相応の確認がなされていますが、それでも遺言能力が否定された例もあります。

Check

遺言無効確認の訴えの審理の中では、医療機関から開示された診療録や介護施設から開示された介護記録などが重要な資料となってきます。

入院中に実施された知能検査の結果などが重要な情報となるほか、看護日誌の中のちょっとしたメモが判断の決め手になることもあります。遺言の無効を主張する場合には、このような資料の入念な調査が必要です。

その他、複雑な内容の遺言に比べ、例えば「全財産を〇〇に相続させる」という単純な内容の方が遺言能力が認められやすいと考えられます。

Question

68

入院中または認知症の場合に遺言書を作ることはできますか

友人が先月入院し、かなり重病です。遺言したいといっていますができるでしょうか。

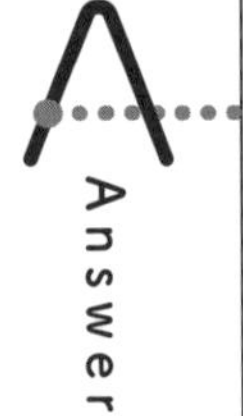

公証人に出張を依頼して、公正証書遺言を作成することをお勧めします。

入院中の場合には公証人に出張をしてもらうことができますし、初期認知症の場合にも２人以上の医師の立会いの下で公正証書遺言を作成できる可能性があります。

公証人の出張

重病人の自筆証書遺言は、近親者が手伝って恣意的に書かせたのではないかといった疑いを招きやすく、裁判で争う相続問題の中にはこのような遺言の恣意性をめぐるものが多くあります。

公正証書遺言は、通常、遺言者が公証役場に出向いて作成しますが、本人が病気入院しているときは、公証人が病院へ出張して、証人立ち会いで本人の意思を確認のうえ遺言書を作成してくれます。

公証人が出張する場合（当該公証人の管轄区内に限ります）は、手数料50％増＋日当（1日20,000円、4時間までは10,000円）と交通費（実費）等が別途必要になります（手数料についてはQ51参照）。

費用はかかりますが、法律の専門家が担当医師の所見などを聞きながら作成しますので、手続や内容の点等で後から問題が出る可能性は少ないのです。

認知症の場合の公正証書遺言

民法は、成年被後見人についても遺言を作成する余地を認めています。

初期認知症の人についても、平常の状態に戻ったときは、この規定を準用して、2人以上の医師が立ち会って、一応の判断力がある、と診断した場合には、その遺言は有効とされます。この場合、立ち会った医師は、遺言者が遺言当時、遺言する能力があったことを医学的に証明する旨を遺言書に付記し、署名捺印する必要があります。

Check

質問のケースのような状況では、公正証書による遺言作成を強くお勧めします。

また、初期認知症の場合には、協力をしてくれる医師の確保が最大の関門になると思われます。遺言の必要性や紛争の可能性が少ないことなどを丁寧に説明し、理解を得る必要があります。

Question

69

エンディングノートについて知りたい

「エンディングノート」というものをよく耳にします。それは、どういうものので、どのような効力があるのでしょうか。

エンディングノートは「ending + note」と綴る和製英語で、自分の終末期や死後についての方針などを書きとめておくノートのことをいいます。

自分の生い立ち、銀行口座や生命保険などの記録、介護や葬儀の希望、財産の明細や遺産の分け方などを記入しておきます。自分自身では分かっていることばかりですが、もし万一のことがあったときに、残された人たちはどこの銀行に預金があるのか、どんな葬儀を望んでいたのか、どんな人にどの財産をあげたかったのか、分からないことがあります。そこで、自分が元気なうちにそれらを記入しておきます。つまり、エンディングノートとは正に残された家族に対する思いやりです。

多くの「エンディングノート」が、「認知症や寝たきりになったら誰に介護してもらいたいか?」「自宅、施設等どこで介護を受けたいか?」「戒名は必要か?」といった質問事項に対して、穴埋め式で簡単に記入できるようになっています。

エンディングノートの法的効力

遺言書の付言に法的効果がないのと同じくエンディングノートには何ら法的効力はありません。ノートに書き込まれたことは、あくまでも本人の希望であり、遺族がその希望を尊重してくれることは期待できますが、遺族を強制するものではありません。

よって、遺産の分け方についてエンディングノートに書き込んだとしても、そのとおりに遺産相続されるかは保証されません。特に遺産分配に関することで確実に実行してもらうためには遺言書を作成することをお勧めします。

そのほかにも、例えば延命治療を望まず自然死を希望する場合は「尊厳死宣言等公正証書」の作成が必要です。エンディングノートには法的効力がないということをあらかじめきちんと認識しておくことが大切です。

Check

「エンディングノート」は登録商標です。そのために「エンディングノート」という名称の他にさまざまなネーミングで出版されています。「終活ノート」「自分ノート」「ライフデザインノート」「人生整理帳」等々ありますが、内容はさほど変わりません。大学ノートや便箋に「自分のこと」や「家族に伝えたいこと」を気ままに綴っていくのも立派なエンディングノートです。自分に合ったものを選ぶとよいでしょう。

Question

70

成年後見制度の概要を知りたい

成年後見制度について、概要を教えてください。

成年後見制度には、認知症・知的障害・精神障害等判断能力の十分でない方の代わりに後見人等が財産管理・身上監護を行い、本人をサポートする制度です。

法定後見と任意後見

成年後見制度には、法定後見と任意後見の2つがあります。

法定後見は、認知症・知的障害・精神障害等により、すでに判断能力が不十分な方をサポートする制度であり、任意後見は現在、判断能力があるが、将来自分に判断能力がなくなった時に、将来サポートしてもらえる人を決めておく制度です。

法定後見において支援を受ける方を被後見人（被保佐人・被補助人）と呼び、支援をする方を後見人（保佐人・補助人）と呼びます。

任意後見では、サポートを受ける方を本人と呼び、サポートする人を任意後見人または任意後見受任者と呼びます。

支援する後見人は、元々親族の方が多かったのですが、現在では専門職（司法書士・弁護士・社会福祉士など）の割合が増えてきており、令和2年においては、専門職後見人が80.3%となっています。

ただ、もう少し親族に後見人として活躍してもらうべきだという動きもあり、今後どのようにこの割合が推移するか注目されています。

成年後見制度の３つの柱

成年後見制度は、以下３つの理念が柱になります。

①ノーマライゼーション

高齢者や障害者であっても特別扱いせず、今までと同じような生活をさせようという考え方。

②自己決定の尊重

なるべく本人の意思を尊重すること。

③身上配慮義務

本人の財産管理だけでなく、本人の状況を把握し、配慮する義務。

Check

法定後見も任意後見も、ただ本人の財産を管理すればよいというわけではなく、本人の意思を尊重し、かつ、本人の身上に配慮した上で、サポートしなければなりません。

Question

71

法定後見制度と任意後見制度の違いについて知りたい

法定後見制度と任意後見制度の違いについて教えて下さい。

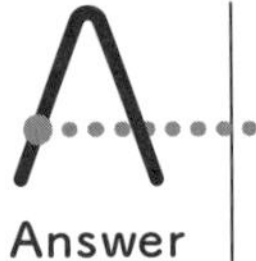

法定後見（後見・保佐・補助）は、すでに判断能力が不十分な方にサポートをするのに対し、任意後見は現状判断能力がある方が将来サポートする方を決める制度です。

法定後見は、裁判所へ申立てを行い、裁判所が本人をサポートする後見人等を選任するのに対し、任意後見は、本人と任意後見受任者（サポートをする人）との「契約」であり、公証役場で任意後見契約を締結することで、将来に備えます。

任意後見も最終的には、家庭裁判所に選任された任意後見監督人が、任意後見人を監督するため、この任意後見監督人を通じて裁判所が監督することになります。

［図表 24］法定後見と任意後見の違い

	法定後見			任意後見
	後見	保佐	補助	
本人の状態	精神上の障害により判断能力を常に欠く状態	精神上の障害により判断能力が著しく不十分	精神上の障害により判断能力が不十分	①契約時は、元気（契約能力がある） ②発効時は、判断能力が不十分

	法定後見			任意後見
	後見	保佐	補助	
あらかじめ必要な手続き	なし	なし	なし	公証役場にて、「任意後見契約」の締結
効力発生の条件	親族等が家庭裁判所へ申立てを行い、後見開始の審判が確定したとき	親族等が家庭裁判所へ申立てを行い、保佐開始の審判が確定したとき	親族等が家庭裁判所へ申立てを行い、補助開始の審判が確定したとき	本人の判断能力が低下し、家庭裁判所に任意後見監督人選任申立を行い、任意後見監督人が選任されたとき
後見人の選任者	家庭裁判所	家庭裁判所	家庭裁判所	本人（ただし、任意後見監督人は家庭裁判所が選任）
本人の同意	不要	不要（保佐人に代理権を与える場合には必要）	必要	必要（ただし、判断能力が低下し、意思が表示できない場合は不要）
後見人等が代理できる行為	財産に関する全ての法律行為	家庭裁判所が審判した特定の行為	家庭裁判所が審判した特定の行為	任意後見契約で定めた行為
後見人等が取り消せる行為	日常生活に関する行為を除くすべての法律行為	民法13条1項の行為＋同意権拡張として家庭裁判所によって審判された行為	代理権または同意権が付与された行為	なし
制度を利用した場合の資格などの制限	医師、税理士等の資格や、会社役員・公務員などの地位を失う	医師、税理士等の資格や、会社役員・公務員などの地位を失う	なし	なし

Check

法定後見は、すでに判断能力が不十分な方が対象のためすぐにサポートが始まりますが、任意後見は、将来に備える方が対象のため、効力はすぐに生じません。いずれも最終的には本人の権利が守られているか、適切なサポートがされているかを家庭裁判所が監督する仕組みになっています。

Question
72
後見人等（後見人・保佐人・補助人）は何をやってくれますか

後見人等（後見人・保佐人・補助人）はどんなことをやってくれるのか教えてください。

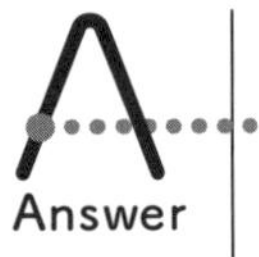

成年後見制度における後見人等の役割は、財産管理と身上監護事務の大きく２つあります。

財産管理

財産管理業務とは、本人の財産を守るため、一般的には預貯金通帳や証書、不動産の権利証等大切な財産を預かり、本人の代わりに管理します。財産を守ることが目的ですが、必要に応じて、本人のために支払ったり、財産の一部を処分することもあります。

財産を維持することが目的であるため、投機的な運用等はできません。

例：・預貯金・不動産権利証・保険・証券等の管理
・年金や受給できる権利の請求及び受領
・税金の申告・納付（後見人等から税理士へ依頼することはできます）
・契約（賃貸借・売買など）

身上監護事務

身上監護とは、本人の身上に関する一切の事項で、本人が生活するための介護サービスのコーディネート等を行います。食事・着替え・入浴などの事実行為を手伝うわけではなく、その個々の契約（施設との契約・ホームヘルパーの派遣・訪問看護サービスの依頼等）を本人の代わりに締結します。ここで重要なのは、本人に意思能力があったら望んでいたであろう方法を選択し、本人の意思を尊重してサポートしなければなりません。

例：・ケアマネージャーとのやりとり
　　・施設との契約
　　・要介護認定の申請等
　　・生活に必要な物品の購入・本人への交付等

☛ Check

後見人等の役割は、財産管理と身上監護事務の大きく２つです。

本人の意思を尊重し、本人のために財産管理・身上監護を行わなくてはなりません。

Question

73

登記事項証明書について知りたい

登記事項証明書はどのようなときに使われるのか教えてください。

法定後見（後見・保佐・補助）の時でも、任意後見契約を締結した時でも、家庭裁判所での審判が確定したら、後見に関する登記が嘱託され、登記事項証明書が取得できるようになります。不動産や法人の登記事項証明書と同じように登記がされますが、後見に関する登記事項証明書は、取得できる人が限定されています。

後見の登記事項証明書は、例えば、後見人がそれを金融機関に見せることで、金融機関の方も窓口に来た人が確かに本人の後見人であることを確認できるわけです。そのため、実務上はかなり重要な書類です。

任意後見は、契約を結んだだけでは効力は発効しませんが、任意後見受任者として登記はされ、将来任意後見監督人も登記がされた時に、実務においても利用することになります。

[図表 25] 登記事項証明書の交付を請求できる人

登記事項証明書の交付を請求できる人
本人 成年後見人、保佐人、補助人、成年後見監督人、保佐監督人、任意後見人、任意後見受任者、任意後見監督人、 本人の配偶者、四親等の親族　　　　など

交付請求の方法

東京法務局後見登録課へ行き、交付を請求するか、郵送でも返信用封筒を同封し、必要な印紙も同封して取得が可能です。

Check

登記事項証明書は、後見人等や任意後見人が本人のために、契約したり、金融機関や市役所等で手続きする時にも必ず必要になります。登記事項証明書を取得した日付が古くなったら、新たに取得し、急な対応にも備えておくことをお勧めします。

Question

74

後見制度支援信託について知りたい

父の後見人になりましたが、家庭裁判所から後見制度支援信託の利用を促されました。後見制度支援信託とはなんでしょうか。

親族後見人による、本人の財産の使い込みを防ぐため、後見人が管理する本人のお金の大半を信託銀行等に託すという制度です。託されたお金は、元本保証で運用されます。

後見制度支援信託

後見制度支援信託とは、後見人が本人のお金を使い込む案件が多かったことから、平成24年から始まった新しい制度です。後述する「家族信託」とは全く別の制度です。

こちらは法定後見で、かつ、保佐や補助は対象とならず、後見だけが対象になります。

例えば、本人の預貯金が4,400万円、月々の収支が8万円の赤字の場合、後見人が管理するお金が4,400万円だとあまりに大きいため、4,000万円を信託銀行等に信託し、手元で管理できる預貯金を400万円にするというイメージです。ただ、毎月8万円の赤字だと、手元の400万円が4～5年で尽きてしまうため、信託銀行等との契約で定期交付金（毎月○万円）を決めることができます。この金額は信託した4,000万円から取り崩していくお金になります。

［図表 26］後見制度支援信託の略図

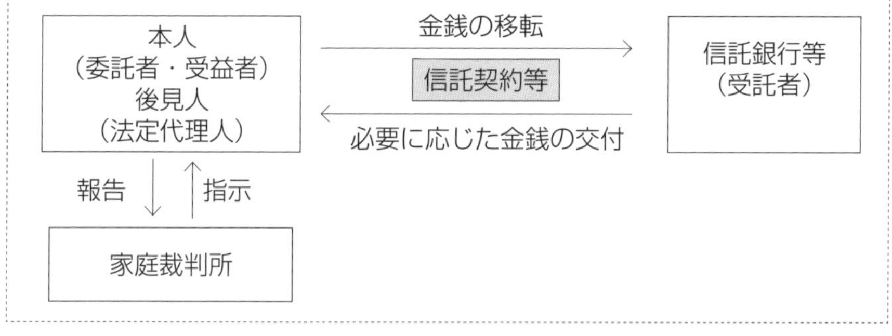

後見制度支援信託の具体的な流れ

①裁判所が後見制度支援信託の利用を検討した場合には、後見人として弁護士や司法書士等の専門職を後見人として選任します。親族後見人と専門職後見人を併せて選任することもあります。

②専門職後見人が、本人の生活や財産状況を調査し、後見制度支援信託を利用するべきかを判断します。利用すると判断した場合は、家庭裁判所へ報告書を提出します。

③専門職後見人は、家庭裁判所から発行された指示書に基づき、信託銀行等と信託契約を締結します。

④専門職後見人がその後本人と関与する必要がなければ、専門職後見人は家庭裁判所の許可を得て後見人を辞任し、親族後見人に管理していた財産等を引き継ぎます。

Check

親族後見人で、本人の預貯金が多い場合は、後見制度支援信託を行うか、後見監督人として専門職が選任され、後見人を監督する形をとるか、どちらかを選択するケースが多いです。

どちらが良いかは事案により異なりますので、家庭裁判所の担当者や専門職によく相談することをお勧めします。

Question

75

任意後見契約について知りたい

一人住まいの老人です。食べていけるほどの年金があり、貯金も 4,000 万円ほどあります。今のところ生活には困りませんが、判断能力が衰えたときのために任意後見契約が良いと聞きました。任意後見契約とは、どのような内容の契約になるのか教えてください。

任意後見契約は、同意した代理権の範囲内で、将来、任意後見人が契約事項を執行できる契約になります。

任意後見契約とは

任意後見契約は、必ず公正証書で作成します。そのため、まずは、本人と任意後見受任者の間で、公証役場にて任意後見契約を結びます。これは、「本人の判断能力が低下したら、家庭裁判所に任意後見監督人の選任申立を行い、任意後見監督人が選任されたら効力が発効する」という停止条件

[図表 27] 任意後見契約の略図

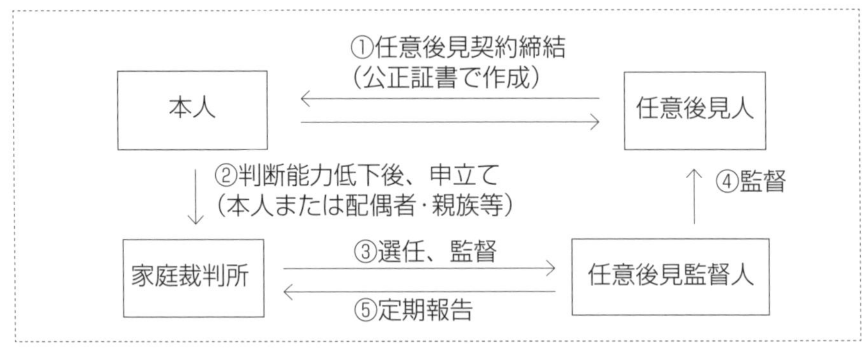

付の契約になります。サポートする内容については、代理権目録を含め、詳細に定めます。

その後、本人の判断能力が低下してきたら、申立人（任意後見受任者や４親等内の親族など法定された者）から家庭裁判所へ任意後見監督人選任の申立てを行います。

すると、任意後見監督人が家庭裁判所から選任されて、初めて任意後見人による本人のサポートが始まります。任意後見人が本人のためにサポートしているか、任意後見監督人が任意後見人を監督する役割となっています。

任意後見監督人は、定期的に任意後見人に報告を求め、家庭裁判所へ報告する仕組みになっております。

任意後見人の代理権の例

①通帳・印鑑、重要書類の保管

②金融機関との取引きに関する事項、保険に関する事項

③収入（家賃・年金等）の受け取り、税金・公共料金の支払い

④生活に必要なものの購入・支払い

⑤介護契約、ホームヘルパーによる介護・身体介護契約の締結・変更等

⑥福祉関係施設への入所に関する契約の締結、変更、解除

Check

任意後見契約を締結しただけでは、効力は発生せず、将来任意後見人をさらに監督する任意後見監督人が選任された時から、契約がスタートします。

将来監督人がつくとはいえ、最も信頼できる方に任意後見人は任せるべきです。

Question

76

後見人・任意後見人には誰でもなれますか

1人暮らしです。3人の娘はそれぞれ嫁いで、離れて暮らしています。長女が近くにおり、ときどき掃除などに来てくれます。今は家事も不自由なくやっていますが、今のうちに任意後見人を選んでおきたいと思っています。誰に頼めばよいでしょうか。

また、仮に判断能力が低下し、法定後見になった場合は、誰がサポートしてくれるのでしょうか。

Answer

任意後見も法定後見でも、法律上、禁止されている人（未成年者・破産者・行方の知れない者・本人に訴訟した者等）以外であれば、誰でも好きな人に頼むことができます。

法定後見では、裁判所へ申立てをするときに、「後見人（保佐人・補助人）候補者」という欄がありますので、そこに候補者を記入し、後は裁判所の判断となります。その人が妥当と考えれば、後見人等候補者がそのまま後見人等になります。家庭裁判所の裁量により、候補者でない方が後見人等に選任される場合もあります。

質問のケースの場合

任意後見の場合、ときどき様子を見に来てくれる長女と任意後見契約を結ぶのが通常でしょう。別でお世話になっている専門家に頼みたいという意向があれば、その方でもよいでしょう。契約の当事者以外の方の同意は不要ですが、後でトラブルにならによう事前に家族には話をしておくことをお勧めします。

法定後見の場合も、長女にサポートしてもらうのが通常でしょう。その場合、次女・三女には事前に後見等申立てに関する同意書をもらうことになります。最終的に、長女が後見人等になるかどうかは、裁判所の判断になります。

Check

法定後見人・任意後見人に必要な資格は特段ありません。財産管理も任せることになるので、信頼をおいていて、しっかり管理してくれる方に任せるべきでしょう。

Question

77

判断能力の衰えと身体の不自由に備えたい

1人暮らしです。判断能力が衰えたときのために、任意後見契約を結んでおきたいのですが、現在も身体が不自由で金融機関へ通帳記帳をしにいくことも大変です。今からすぐにサポートしてもらいたいのですが、いい方法はありますか。

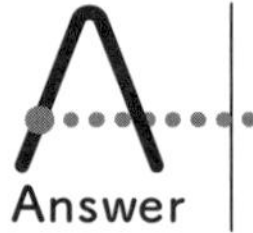

財産管理等委任契約を任意後見契約とセットで締結することでサポートができます。

財産管理等委任契約（任意代理契約）と任意後見契約をセットで結ぶことで、解決できます。

判断能力が衰える前は、財産管理等委任契約で通帳記帳などをサポートすることができます。財産管理等委任契約は、一言でいうと「委任契約」になりますので､何を委任してもらうか「代理権目録」で内容を定めます。

場合によっては、不動産の管理が大変になってきたので、信頼できる人に不動産管理を今から任せたいと考え、財産管理等委任契約と任意後見契約を締結することもあります。

判断能力が衰えた後は家庭裁判所へ申立てを行い、任意後見契約へ財産管理等委任契約から移行することで、任意後見でサポートします。

よって、財産管理等委任契約と任意後見契約は、そのサポートする時期が重ならないよう契約書に定めます。

Check

任意後見契約を結ぶときには、財産管理等委任契約（任意代理契約）とセットで結ぶことが大半になります。判断能力はしっかりしているが、身体が思うように動かない方、病気等不安のある方は、今から信頼できる方に通帳記帳や一部の財産管理等をサポートしてもらい、判断能力がなくなった時には任意後見契約によりサポートしてもらうことで、今から安心な老後を過ごすことができます。

［書式９］財産管理等に関する委任契約公正証書（公証人林豊氏作成）

令和○○年　第　　号

財産管理等に関する委任契約公正証書

本職は、平成○○年○○月○日、委任者　山田太郎（以下「甲」という。）、受任者　山田花子（以下「乙」という。）の嘱託により、以下の財産管理等に関する委任契約について両当事者の陳述を録取して、この証書を作成する。

第１条（本契約の目的）

この契約は、甲が、心身共に健やかで安定した生活を送ることができるようにすることを目的とする。

第２条（本契約の趣旨）

甲は、乙に対し、甲の有する財産の管理や甲の生活に関する事務を委任し、乙は、これを引き受ける。

第３条（効力発生の日）

本契約は、令和○○年○○月○日からその効力を生じる。

第４条（事務処理の基準）

乙は、甲の意思、法令に従い、誠実に管理事務を行う。

２　乙は、管理事務を行うに当たって、補助者を必要とする場合は、使用することができる。

第５条（対象財産）

乙が財産管理を行う財産は、別紙財産目録及び預貯金等目録に各記載されている財産とする。

２　将来、相続等により甲の財産が増加したときは、それらも財産管理の対象となる。

３　乙は、甲から知らされなかった財産や知ることができなかった財産については、財産管理の責任を負わない。

第６条（管理事務の範囲）

乙は、別紙財産目録及び預貯金等目録に各記載されている財産について、全般的に財産管理を行う。

２　乙は、甲の預金・貯金その他の財産について、甲の名前で、あるいは甲代理人乙（甲財産管理人乙）の名前で、預入・払戻・解約・書替その他一切の取引をするこができる。

第７条（生活配慮義務）

乙は、甲の生活について、甲の主治医等に健康状態を尋ねる等の配慮をしなければならない。

第８条（通帳類の引渡）

乙が、甲の預金通帳、登記済権利書、印鑑類その他について引渡しを受けることが必要な場合には、甲はこれを乙に引き渡す。この場合、乙は、甲に預かり証を交付する。

第９条（報酬）

甲は乙に、管理事務の報酬として、１カ月金○○円を、毎月末日までに支払う。

２　前項の報酬が、管理の内容や経済情勢の変化等によって相当でなくなったときは、甲と乙が話し合って変更することができる。

第10条（報告）

乙は、甲に対し、定期的に財産管理の状況について報告しなければならない。

２　乙は、報告の時、残高証明書等必要な書類を添付する。

第11条（解除）

甲および乙は、それぞれ２カ月前に書面をもってこの契約を解除することができる。

第12条（通帳等の返還）

本契約が終了したときは、乙は、速やかに保管中の通帳等を甲に引き渡す。

以上

［書式 10］別紙・財産目録

1　土地
　所　　在　○○市○○町○○丁目
　地　　番　○○番○○
　地　　目　宅　地
　地　　積　○○．○○平方メートル
2　建物
　所　　在　○○市○○町○○丁目○○番地○○
　家屋番号　○○番○○
　種　　類　店舗兼居宅
　構　　造　木造スレート瓦葺 2 階建
　床 面 積　1 階　○○．○○平方メートル
　　　　　　2 階　○○．○○平方メートル

以上

［書式 11］別紙・預貯金等目録（例）

1．○○銀行○○支店
　普通預金　○○○○○○○
2．○○信用金庫
　普通預金　○○○○○○○
3．ゆうちょ銀行
　通常貯金
　記号番号　○○○○○－○○○○○○○○

以上

※財産目録は委任契約書に添付されます。

Question

78

代理権目録について知りたい

代理権目録について教えてください。

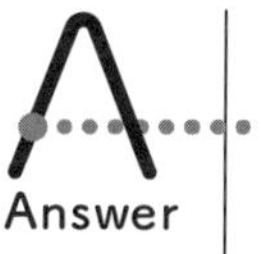

代理権目録は任意後見人が代理権を行うべき事務の範囲を記載しています。

任意後見契約に関する法律に基づいて証書を作成する場合には、公証人は、付録第１号様式または第２号様式による用紙に、任意後見人が代理権を行うべき事務の範囲を特定して記載しなければならないことになっています。

付録第１号様式は項目中のどんな内容を必要とするのか、本人は任意後見人予定者とよく相談し、必要な箇所を選択して□内にチェックします。付録第２号様式は代理権を具体的に箇条書きにします。

Check

付録第１号様式を参考にしながら、委任者の状況に合わせて、付録第２号様式に個別具体的に代理権を書き込むことをお勧めします。

［書式12］　代理権目録（付録第１号様式）

代　理　権　目　録

A　財産の管理・保存・処分等に関する事項

Ａ１□　甲に帰属する別紙「財産目録」記載の財産及び本契約締結後に甲に帰属する財産（預貯金〔Ｂ１・Ｂ２〕を除く。）並びにその果実の管理・保存

Ａ２□　上記の財産（増加財産を含む。）及びその果実の処分・変更

□売却

□賃貸借契約の締結・変更・解除

□担保権の設定契約の締結・変更・解除

□その他（別紙「財産の管理・保存・処分等目録」記載のとおり）

B　金融機関との取引に関する事項

Ｂ１□　甲に帰属する別紙「預貯金等目録」記載の預貯金に関する取引（預貯金の管理、振込依頼・払戻し、口座の変更・解約等。以下同じ。）

Ｂ２□　預貯金口座の開設及び当該預貯金に関する取引

Ｂ３□　貸金庫取引

Ｂ４□　保護預り取引

Ｂ５□　金融機関とのその他の取引

□当座勘定取引　　□融資取引

□保証取引　□担保提供取引

□証券取引〔国債、公共債、金融債、社債、投資信託等〕

□為替取引

□信託取引（予定（予想）配当率を付した金銭信託（貸付信託）を含む。）

□その他（別紙「金融機関との取引目録」記載のとおり）

Ｂ６□　金融機関とのすべての取引

C　定期的な収入の受領及び費用の支払に関する事項

Ｃ１□　定期的な収入の受領及びこれに関する諸手続

□家賃・地代

□年金・障害手当金その他の社会保障給付

□その他（別紙「定期的な収入の受領等目録」記載のとおり）

Ｃ２□　定期的な支出を要する費用の支払及びこれに関する諸手続

□家賃・地代　　□公共料金

□保険料　　□ローンの返済金

□その他（別紙「定期的な支出を要する費用の支払等目録」記載のとおり）

D　生活に必要な送金及び物品の購入等に関する事項

Ｄ１□　生活費の送金

Ｄ２□　日用品の購入その他日常生活に関する取引

Ｄ３□　日用品以外の生活に必要な機器・物品の購入

E　相続に関する事項

Ｅ１□　遺産分割又は相続の承認・放棄

Ｅ２□　贈与若しくは遺贈の拒絶又は負担付の贈与若しくは遺贈の受諾

Ｅ３□　寄与分を定める申立て

Ｅ４□　遺留分侵害額の請求

F　保険に関する事項

Ｆ１□　保険契約の締結・変更・解除

Ｆ２□　保険金の受領

G　証書等の保管及び各種の手続に関する事項

Ｇ１□　次に掲げるものその他これらに準ずるものの保管及び事項処理に必要な範囲内の使用

□登記済権利証

□実印・銀行印・印鑑登録カード

□その他（別紙「証書等の保管等目録」記載のとおり）

Ｇ２□　株券等の保護預り取引に関する事項

Ｇ３□　登記の申請

Ｇ４□　供託の申請

Ｇ５□　住民票、戸籍謄抄本、登記事項証明書その他の行政機関の発行する証明書の請求

Ｇ６□　税金の申告・納付

H　介護契約その他の福祉サービス利用契約等に関する事項

Ｈ１□　介護契約（介護保険制度における介護サービスの利用契約、ヘルパー・家事援助者等の派遣契約等を含む。）の締結・変更・解除及び費用の支払

Ｈ２□　要介護認定の申請及び認定に関する承認又は審査請求

Ｈ３□　介護契約以外の福祉サービスの利用契約の締結・変更・解除及び費用の支払

Ｈ４□　福祉関係施設への入所に関する契約（有料老人ホームの入居契約等を含む。）の締結・変更・解除及び費用の支払

Ｈ５□　福祉関係の措置（施設入所措置等を含む。）の申請及び決定に関する審査請求

I　住居に関する事項

Ｉ１□　居住用不動産の購入

Ｉ２□　居住用不動産の処分

Ｉ３□　借地契約の締結・変更・解除

Ｉ４□　借家契約の締結・変更・解除

Ｉ５□　住居等の新築・増改築・修繕に関する請負契約の締結・変更・解除

J　医療に関する事項

Ｊ１□　医療契約の締結・変更・解除及び費用の支払

Ｊ２□　病院への入院に関する契約の締結・変更・解除及び費用の支払

K□　A～J以外のその他の事項（別紙「その他の委任事項目録」記載のとおり）

L　以上の各事項に関して生ずる紛争の処理に関する事項

Ｌ１□　裁判外の和解（示談）

Ｌ２□　仲裁契約

Ｌ３□　行政機関等に対する不服申立て及びその手続の追行

Ｌ４・１　任意後見受任者が弁護士である場合における次の事項

Ｌ４・１・１□　訴訟行為（訴訟の提起、

調停若しくは保全処分の申立て又はこれらの手続の追行、応訴等）

Ｌ４・１・２□　民事訴訟法第５５条第２項の特別授権事項（反訴の提起、訴えの取下げ・裁判上の和解・請求の放棄・認諾、控訴・上告、復代理人の選任等）

Ｌ４・２□　任意後見受任者が弁護士に対して訴訟行為及び民事訴訟法第５５条第２項の特別授権事項について授権をすること

Ｌ５□　紛争の処理に関するその他の事項（別紙「紛争の処理等目録」記載のとおり）

Ｍ　復代理人・事務代行者に関する事項

Ｍ１□　復代理人の選任

Ｍ２□　事務代行者の指定

Ｎ　以上の各事務に関連する事項

Ｎ１□　以上の各事項の処理に必要な費用の支払

Ｎ２□　以上の各事項に関連する一切の事項

注１　本号様式を用いない場合には、すべて附録第２号様式によること。

２　任意後見人が代理権を行うべき事務の事項の□にレ点を付すること。

３　上記の各事項（訴訟行為に関する事項〔Ｌ４・１〕を除く。）の全部又は一部について、数人の任意後見人が共同して代理権を行使すべき旨の特約が付されているときは、その旨を別紙「代理権の共同行使の特約目録」に記載して添付すること。

４　上記の各事項（訴訟行為に関する事項〔Ｌ４・１〕を除く。）の全部又は一部について、本人又は第三者の同意（承認）を要する旨の特約が付されているときは、その旨を別紙「同意（承認）を要する旨の特約目録」に記載して添付すること。（第三者の同意（承認）を要する旨の特約の場合には、当該第三者の氏名及び住所（法人の場合には、名称又は商号及び主たる事務所又は本店）を明記すること。）。

５　別紙に委任事項・特約事項を記載するときは、本目録の記号で特定せずに、全文を表記すること。

［書式13］　代理権目録（付録第２号様式）

代　理　権　目　録

一、　何　　　何

一、　何　　　何

一、　何　　　何

一、　何　　　何

一、　何　　　何

注１　附録第１号様式を用いない場合には、すべて本号様式によること。

２　各事項（訴訟行為に関する事項を除く。）の全部又は一部について、数人の任意後見人が共同して代理権を行使すべき旨の特約が付されているときは、その旨を別紙「代理権の共同行使の特約目録」に記載して添付すること。

３　各事項（任意後見受任者が弁護士である場合には、訴訟行為に関する事項を除く。）の全部又は一部について、本人又は第三者の同意（承認）を要する旨の特約が付されているときは、その旨を別紙「同意（承認）を要する旨の特約目録」に記載して添付すること（第三者の同意（承認）を要する旨の特約の場合には、当該第三者の氏名及び住所（法人の場合には、名称又は商号及び主たる事務所又は本店）を明記すること。）。

４　別紙に委任事項・特約事項を記載するときは、本目録の記号で特定せずに、全文を表記すること。

Question

79

定期的な連絡等で見守ってもらいたい

1人暮らしです。任意後見契約を結んで将来サポートしてもらう方を決めておきたいと思います。ただし今は元気なので、たまに連絡を取ってくれたり、見守ってくれる人がいればよいと思います。いい方法や、今のうちにできることはありますか。

見守り契約を任意後見契約とセットで締結することで、任意後見契約が発効する前は、見守り契約により、定期的な連絡や訪問等で、サポートすることができます。

また、元気なうちにできることとして、任意後見契約等の色々な契約ごと、遺言書の作成等がありますが、少し気が重いという方は、エンディングノートで人生を振り返ることもよいでしょう。

見守り契約

訪問する頻度等を事前に決めておき、それ以外には電話連絡等により、本人の望んでいる生活や心身の状態を受任者が確認します。一般的には、任意後見契約や財産管理等委任契約の前提として、見守り契約を併せて締結します。

受任者の報酬も、本人と受任者との契約で決めますが、月々5,000円から1万円前後が一般的でしょう。こちらは年額で定め、年に1回報酬を受領する内容の契約でも問題ありません。

エンディングノート

エンディングノートは気軽に書き、何度でも書き直しもできます。自分の人生を振り返り、整理するものとしては、お勧めです。(Q69参照)

☛ Check

見守り契約と任意後見契約をセットで締結することで、判断能力が衰えたら、見守り契約から任意後見契約に移行させ、サポートすることが可能になります(任意後見契約への移行のパターンはQ80参照)。

また、ゆうちょ銀行のみまもり訪問サービスや様々なサービス業者による見守りサービスもあります。それぞれ何が出来て、何が出来ないかをよく確認する必要があります。

終活準備はしたいけれども契約は気が重いという方は、エンディングノートを書き、人生を振り返り、整理することもお勧めです。

Question

80

任意後見のプランについて知りたい

今は健康に過ごしていますが、将来の、判断能力の衰えや、身体の不自由について不安があります。任意後見契約では、様々なプランがあると聞きました。どのような契約プランがありえるのでしょうか。

将来の判断能力の低下に備えた将来型プランや、病気や身体の不自由になってから支援を希望する段階型プランなどがあります。

任意後見契約はセットで結ぶ

任意後見契約を結んだだけでは、本人の判断能力の低下等状況がわかりません。

そのため、別に、健康や生活に不自由が出ていないかを見守ってもらうための契約などを結ぶことが基本となっています。

それが、「見守り契約」（Q79参照）や「任意代理契約」（Q75参照）です。

①見守り契約

本人を見守るため、本人と定期的に連絡を取ったり、訪問したりする契約です。

②任意代理契約

サポートをお願いする方に、代理権で定めた法律行為を委任する契約です。

これにより、任意後見契約を発効させるタイミングをスムーズに移行させることが可能になります。

将来型プラン

将来、判断能力が衰えてから支援がほしい場合に、見守り契約と任意後見契約をセットで結びます。例えば、認知症などにより、財産管理や生活のための契約を結ぶことが本人だけでは難しくなると、任意後見契約を発効させ、その契約に定めた法律行為をしてもらうことになります。

段階型プラン

最初は定期的な連絡や訪問で見守りつつ、将来、身体の不自由になってから支援を受け、さらにその後の判断能力の衰えにも備えるように段階的に契約が発効されるように、契約を結ぶプランです。この場合、見守り契約と任意代理契約、任意後見契約を結びます。

Check

上記は、代表的な例です。実際には希望を伝え、ご自身に合ったプランを提示してもらい、サポートを受けるべきでしょう。

Question

81

死後事務の委任契約について知りたい

5年前に夫を亡くしました。子どもはいません。現在はUR賃貸住宅に一人で暮らしています。兄もすでに亡くなり、その子どもたち（おい・めい）は遠方で暮らし、疎遠です。夫が残してくれた預貯金が3,000万円ほど、遺族年金と私の国民年金で20万円近くあります。差し当たっては生活に支障はありませんが、私の死後、私の葬儀や埋葬はどうなるのでしょうか。なお、夫が亡くなったときにお墓は購入し、お寺に永代供養もお願いしています。

Answer

財産管理等に関する委任契約・任意後見契約・死後事務委任契約を締結するのがよいでしょう。また遺言書も作成しましょう。

元気な今は問題がなくても、身体が不自由になった場合や、判断能力が衰えた場合、そしてご心配されている死後の葬儀や埋葬のことを考え、財産管理等に関する委任契約・任意後見契約・死後事務委任契約を締結するのがよいでしょう。

すでに購入済みのお墓に埋葬し、ご主人と同じお寺に永代供養を依頼するよう、受任者に委任することになります。

死後事務の委任契約

本人（委任者）が、自己の死後の葬儀や埋葬に関する事務についての受任者に代理権を付与し、本人（委任者）の死後の事務を委託する委任契約です。委任契約は原則、委任者の死亡によって終了しますが、委任契約の当事者である委任者と受任者は、委任者の死亡によっても契約を終了させないという合意をすることができます。このような合意をしておくことで、本人（委任者）が受任者に、葬儀や埋葬等の死後事務を委任する契約です。

死後事務の内容

・医療費の支払い
・老人ホーム等の施設利用料の支払い
・葬儀・埋葬・供養に関する事務とその費用の支払い
・年金の手続き
・高齢者健康保険・介護保険の手続き　等々

質問のケースの場合

遺言書も必ず作成してください。疎遠とはいえ、おい・めいは法定相続人です。遺言がない場合は、遺産はおい･めいが相続することになります。兄弟姉妹（代襲相続によりおい・めい）には遺留分がありません。遺言によって、お世話になった方や施設に遺贈するなど、あなたが思うままに財産を処分することができます。

Check

財産管理等に関する委任契約・任意後見契約・死後事務委任契約の3点セット、プラス遺言書の4点セットを公正証書で作成することにより、心安らかな老後を迎えることができます。

任意後見監督人には どのような人がなるのですか

任意後見監督人とは、どういう人がなるのでしょうか。

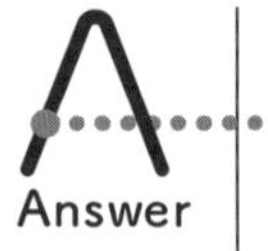

任意後見監督人に法律上の制限はありませんが、任意後見受任者の配偶者、直系血族、兄弟姉妹、未成年者、破産者などは、任意後見監督人になれません。

個人であっても、法人であっても任意後見監督人になれますが、実際には家庭裁判所が選任するため、弁護士や司法書士が選任されることが多いようです。

関係者による任意後見監督人の選任申立

「任意後見監督人選任申立書」の提出に基づいて家庭裁判所が選任します。このとき、家庭裁判所は任意後見人についても同時に資格審査を行います。

☛ Check

任意後見契約と併せて、見守り契約や任意代理契約を結んでいれば、本人の判断能力が低下した時に、空白なく任意後見監督人選任の申立てを行い、以後任意後見契約で本人をサポートすることが可能になります。

[書式 14]　任意後見監督人選任申立書

【令和３年４月版】

申立後は，家庭裁判所の許可を得なければ申立てを取り下げることはできません。
※　太わくの中だけ記載してください。
※　該当する部分の□にレ点（チェック）を付してください。

受付印	任意後見監督人選任申立書
	※ 収入印紙（申立費用）８００円分をここに貼ってください。 【注意】貼った収入印紙に押印・消印はしないでください。 収入印紙（登記費用）１，４００円分はここに貼らないでください。

収入印紙（申立費用）　円 収入印紙（登記費用）　円 予納郵便切手　円	準口頭		関連事件番号　年（家　）第　号

東京　家庭裁判所 □　立川支部　御中 令和　年　月　日	申立人又は同手続 代理人の記名押印	印

申立人	住所	〒　－ 電話　（　）　携帯電話　（　）
	ふりがな 氏名	□ 大正 □ 昭和　年　月　日生 □ 平成　（　歳）
	本人との関係	□ 本人　□ 配偶者　□ 四親等内の親族（　） □ 任意後見受任者　□ その他（　）
手続代理人	住所 （事務所等）	〒　－　※法令により裁判上の行為をすることができる代理人又は弁護士を記載してください。 電話　（　）　ファクシミリ　（　）
	氏名	
本人	本籍 （国籍）	都道 府県
	住民票上の住所	□ 申立人と同じ 〒　－ 電話　（　）
	実際に住んでいる場所	□ 住民票上の住所と同じ 〒　－　※ 病院や施設の場合は，所在地，名称，連絡先を記載してください。 病院・施設名（　）電話　（　）
	ふりがな 氏名	□ 大正 □ 昭和　年　月　日生 □ 平成　（　歳）

1

申立ての趣旨
任意後見監督人の選任を求める。

申立ての理由
本人は，（※　）により 判断能力が欠けているのが通常の状態又は判断能力が（著しく）不十分である。 ※　診断書に記載された診断名（本人の判断能力に影響を与えるもの）を記載してください。
申立ての動機 ※　該当する部分の□にレ点（チェック）を付してください。
本人は， □ 預貯金等の管理・解約　□ 保険金受取　□ 不動産の管理・処分　□ 相続手続 □ 訴訟手続等　□ 介護保険契約　□ 身上保護（福祉施設入所契約等） □ その他（　） の必要がある。
※　上記申立ての理由及び動機について具体的な事情を記載してください。書ききれない場合は別紙★に記載してください。★Ａ４サイズの用紙をご自分で準備してください。

任意後見契約	公正証書を作成した公証人の所属	法務局	証書番号	□ 平成 □ 令和　年第　号
	証書作成年月日	□ 平成 □ 令和　年　月　日	登記番号	第　－　号

任意後見受任者	□ 申立人と同じ　※　以下色が付いている欄のみ記載してください。 □ 申立人以外の〔 □ 以下に記載の者　□ 別紙★に記載の者 〕★Ａ４サイズの用紙をご自分で準備してください。	
	住所	〒　－ 電話　（　）　携帯電話　（　）
	ふりがな 氏名	□ 昭和　年　月　日生 □ 平成　（　歳）
	職業	勤務先　〒　－ 電話　（　）
	本人との関係	□ 親族：□ 配偶者　□ 親　□ 子　□ 孫　□ 兄弟姉妹 □ 甥姪　□ その他（関係：　） □ 親族外：（関係：　）

2

手続費用の上申
□　手続費用については，本人の負担とすることを希望する。 ※　申立手数料，送達・送付費用，後見登記手数料，鑑定費用の全部又は一部について，本人の負担とすることが認められる場合があります。

添付書類	※　同じ書類は本人１人につき１通で足ります。審理のために必要な場合は，追加書類の提出をお願いすることがあります。 ※　個人番号（マイナンバー）が記載されている書類は提出しないようにご注意ください。 □　親族関係図 □　診断書（成年後見制度用） □　診断書付票 □　本人情報シートのコピー □　本人の戸籍個人事項証明書（戸籍抄本） □　本人の住民票又は戸籍の附票 □　本人の登記事項証明書（任意後見） □　本人の成年被後見人等の登記がされていないことの証明書（証明事項が「成年被後見人，被保佐人，被補助人とする記録がない。」ことの証明書） □　任意後見受任者の住民票又は戸籍の附票（登記事項証明書と申立書の住所が異なる場合のみ） □　任意後見契約公正証書のコピー □　申立事情説明書（任意後見） □　任意後見受任者事情説明書 □　財産目録 □　相続財産目録 （本人が相続人となっている遺産分割未了の相続財産がある場合のみ） □　収支予定表 □　財産関係の資料（該当する財産がないものは不要） □　預貯金通帳のコピー，保険証券・株式・投資信託等の資料のコピー □　不動産の全部事項証明書 □　債権・負債等の資料のコピー □　収入・支出に関する資料のコピー

3

Question

83

任意後見契約と遺言の関係について知りたい

私たち夫婦は80歳と75歳で、子どもはおりません。年金（月額20万円）と不動産収入（月30万円）で生計を立てております。資産関係は預貯金3,000万円と自宅（土地建物）および併設の貸間3室です。資産の運用は私が全て行っており、私の判断能力が衰えたら妻が困るので、元気なうちに任意後見契約を父の相続の時にお世話になった司法書士のAさんと結んでおこうと考えております。また、相続発生後妻に全財産を相続させるにはどうしたらいいでしょうか。

A Answer

判断能力が衰えた時のために、任意後見契約を結び、あなたの死後、妻の生活安定のために遺言書を作成することになります。

任意後見契約と遺言書は、生前と相続後であり、全く別次元の話になります。

任意後見契約の締結

賃貸不動産について管理が少し大変になってきたら、任意代理契約と任意後見契約のセットで、Aさんにお任せした方が安心でしょう。ただ、ご主人が亡くなるとこの契約は終了し、Aさんも法律上サポートすることができなくなってしまいます。残された奥様は、知識もなく、遺言により不動産を引継いだものの、奥様に判断能力がなくなっていると、Aさんと任意後見契約を締結することもできなくなってしまうため、年齢的には、奥様も事前にAさんと見守り契約等と任意後見契約を結んでおいた方が安心です。

奥様に判断能力がない場合は、法定後見を申立てすることで、後見人等が奥様をサポートし不動産を管理することもできますが、後見人等が選任されるまで、空白の期間ができてしまいます。

遺言書の作成

ご主人に兄弟姉妹（兄弟姉妹が亡くなっている場合は、おい・めい）がいる場合は、ご主人が亡くなると兄弟姉妹（またはおい・めい）も相続人になります。妻に遺産の全部を遺してあげたければ、「妻に全部を相続させる」旨の遺言書が必要です。

Check

元気なうちは財産管理委任契約で、判断能力が衰えたら任意後見契約で、死後は遺言書により財産の承継方法を指定し、万全な体制が整います。これに死後の事務も委任する場合は、死後事務委任契約も締結し、この４つの契約で、安心の４点セットと言われます。

Question

84

任意後見契約に尊厳死の希望を盛り込みたい

3年前に胃癌の手術をしており、余命が長くないことを自覚しております。死後の財産配分については公正証書遺言を作成しているので安心ですが、自分が末期状態になったとき、苦痛を除去・軽減する措置はとったとしても、単なる延命措置は絶対に断りたいと考えています。この意思の実現が保証される書面の作成方法を教えてください。

A Answer

任意後見契約の目的は主として本人の意思能力が衰えたときの財産管理や身上監護を任意後見に任せることにあるので、尊厳死（リビング・ウィル）を契約条項に加えることにはなじみません。

尊厳死を希望する場合、尊厳死宣言公正証書、宣誓認証によって、別途公正証書の作成をすることをお勧めします。

尊厳死公正証書

近年、過剰な延命治療を打ち切って、自然の死を迎えることを望む人が多くなってきました。

最近、日本の医学界など医療関係者も、尊厳死の考え方を積極的に容認するようになり、また、過度な末期治療を施されることによって近親者に多大な負担をかけさせたくないという懸念から公正証書を作成する人も増えてきました。

一方で、尊厳死宣言公正証書があったとしても、医療現場では必ずそれに従わなくてはならないとは言えず、また、医学的判断によらざるを得ない面があり、必ず尊厳死が実現するかは分かりません。ただ、「リビング・ウィル」のアンケートによれば、尊厳死の宣言書を医師に示したことによる尊厳死許容率は9割を超えており、医療現場でもおおよそ尊厳死を容認していることがわかります。いずれにしても、この尊厳死宣言公正証書を作成したら、この書類を医師に示してもらえるよう、近親者に託す必要があります。

Check

尊厳死宣言公正証書を作成する場合、その内容や、作成後の保管方法など、よくご家族や公証人の先生と打合せを行い、作成する必要があります。

Question

85

老々介護の対応について知りたい

単身者で都内のマンションに住んでおります。母(91歳)は、意識ははっきりしていますが、身体不自由で1人では生活できないため娘の私が24時間世話をしています。

母が住む家(土地建物とも母名義)は、家屋全体が老朽化しており、介護もままならず、改築が必要ですが、それには、私の貯金の全てを使い、母の仮住まいも考えなければなりません。離れて暮らす弟は、何の相談にも乗ってくれないうえ要求ばかりしてくる状態です。

私は子どももおらず、いまさら家を建ててもいずれ弟のものになるかと思うと納得がいきません。どうしたらいいでしょうか。

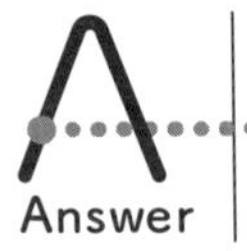

母親に事情をよく話して、居宅の土地を売って施設に入ってもらうことを真剣に検討すべきだと思われます。

親孝行はよいことですが、あまりのめり込むと母娘共倒れで、自分の人生を失うことにもなりかねません。まして、今後自分の老後に必要な資金を老母の家に使い切ることは無謀です。新築の家に同居したとしても、将来相続でもめることは必至です。

母親に事情をよく話して、居宅の土地を売って施設に入ってもらうことを真剣に検討すべきです。そのためには、母親の意識がはっきりしているうちに母娘で任意後見契約(移行型)を結び、母親の施設入所に関する契約や行政の手続き、生活についてサポートする必要があります。また、土地の処分権を任意後見契約の代理権の項目として入れ、娘が不動産処分することもできますが、こちらは後述する家族信託を利用した方がスムーズであるかもしれません。

ただ、家族信託では母親のための法律行為や事務の代行はできませんので、そういう意味で任意後見（移行型）は必須であるといえます。

併せて、母親が亡くなった後に弟と揉めないよう、公正証書遺言を遺すことをお願いしましょう。内容は母親の気持ち次第ですが、介護について感謝の念があるなら、その気持ちを反映させてもらっても良いのではないでしょうか。さらに、娘も、ご自身の任意後見契約と死後の財産処分について公正証書遺言を作成しておくことをお勧めします。

Check

平均寿命の延びから、老人が老人を介護する「老々介護」が日常現象となりました。

しかし、身内の者の介護にも限界があるため、介護保険制度が生まれたのです。それでも、質問のように、心ならずも子の人生を犠牲にしてしまうケースがあとを絶ちません。ここまで尽くせば、あとはごめんなさいと割り切る合理性も必要ではないでしょうか。

なお疑問の点は、弁護士会、司法書士会、行政書士会等の無料相談会でお聞きください。

最近よく聞く家族信託とは何ですか

最近、「家族信託」という言葉をよく聞くようになりました。詳しく教えてください。

自分の財産を信頼できる人（家族など）に託し、財産を受益者のために管理してもらう財産管理手法の1つです。

家族信託の３人の当事者

家族信託とは、平成19年に施行された信託法改正に基づいて、利用できるようになった民事信託の一種です。

[図表28] 家族信託の略図

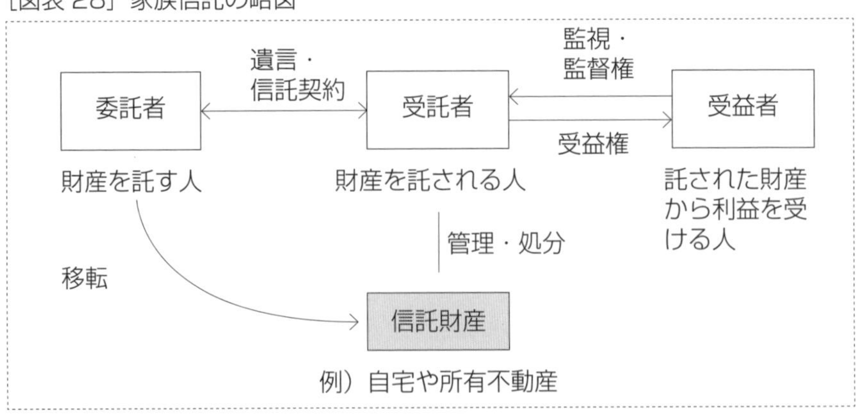

信託する財産（信託財産）は、現金でも不動産でも財産であれば構いません。

信託契約を結ぶと、受託者は受益者のために託された信託財産を管理することになります。

そして、この受益者が得られる利益は「受益権」と呼ばれます。

民事信託の起源

「家族信託」は民事信託の中の１つになりますが、民事信託の起源は、中世ヨーロッパにさかのぼります。十字軍の兵士（委託者）が、戦争に行くため、信頼できる友人（受託者）に自分の土地や財産を信託し、そこから耕作で得られる野菜や果物や財産を自分の妻子（受益者）のために使ってほしいと約束したところから始まります。

こちらを友人でなく家族・親族に託し、大切な財産を、管理・承継していく方法が「家族信託」なのです。

Check

家族信託契約の委託者・受託者・受益者は、全て別人物である必要はありません。

委託者＝受益者は、実務上多く、基本となる形になります。なお、受託者＝受益者の状態が1年間続くと、信託が終了する旨、信託法に定められています。

Question

87

信託銀行の「遺言信託」と家族信託は何が違うのですか

信託銀行から、遺言信託を勧められました。家族信託とは何が違うのでしょうか。

財産の承継人や承継する方法を指定する点では共通ですが、家族信託と信託銀行の「遺言信託」とはまったく違うものです。

商事信託

信託銀行の「遺言信託」を知る前に、まずは商事信託について見てみましょう。

家族信託は、委託者が信頼できる受託者（家族）に信託財産を信託し、受益者のために、受託者が財産を管理する仕組みでした。これは財産を託される人（＝受託者）が家族であるから、家族信託と言われます。

これに対して、信託会社や信託銀行等金融機関に財産を託す場合は、「商事信託」と言われます。信託会社や信託銀行等が、お客様から財産を預かり、報酬を得て、その財産を管理します。受託者の仕事を業として行っているのが、商事信託です。

家族信託がよいか、商事信託がよいかはケースバイケースになります。商事信託は、受託者が法人のため、安心感はあります。ただ取扱うものは、原則金銭で、まとまった金額からしか利用できない場合もあり、報酬も必ずかかります。家族信託は、信託財産については柔軟で、様々な対策もできますが、受託者を誰にすればよいかという問題があります。信頼して託したはずの財産が全て、受益者のためでなく、受託者自身の私利私欲のために使われていたということがあってはならないのです。

家族信託と遺言信託の違い

それでは、家族信託と信託銀行の「遺言信託」は何が違うのでしょうか。

信託銀行の「遺言信託」という商品は、作成した遺言書を預かるサービスになります。信託銀行で、遺言書の作成をサポートし、作成した遺言書を信託銀行で保管し、遺言者が亡くなった時に遺言書通りに相続手続きを執行するという一連のサービスの名前です。遺言執行を託せる家族がいなかったり、家族はいるが不要な方は検討してもいいでしょう。

家族信託と信託銀行の「遺言信託」は、財産の承継人や承継する方法を指定するという共通点もありますが、家族信託では契約によっても財産の承継人を定めることができる他、受益権を自分の死後、２次相続の場面でも受益者連続の方法により指定することもできます。

Check

「遺言信託」は、信託する方法を遺言で定める時にも用いられる言葉であり、少しややこしい言葉になります。家族信託と信託銀行の「遺言信託」は別物であるということだけ理解しておきましょう。

Question

88

家族信託の受託者には誰がなれば良いですか

父の財産管理のために、家族信託を組むことに決めました。受託者には母と息子である私のどちらがいいのでしょうか。

家族信託を検討する上で、受託者を誰にすれば良いかということは最も重要です。最も信頼している人を受託者にするべきですが、年齢の面からでは、配偶者であるお母様よりも子であるあなたの方が良いと言えます。

家族信託の受託者の役割

家族信託の受託者は、受益者のために、信託された財産の管理や処分権限があります。そして、具体的な受託者の権限は、信託契約に定めます。例えば、信託した不動産の第三者へ賃貸する権限は与えるが、売却の権限は与えない信託契約も有効です。

そのため、信託契約で定められた権限を受託者は実行できることになります。

受託者は誰がよいか

認知症対策として、実家の土地や建物・現金を家族に信託し、本人の生活を守るような信託の場合、一般的には、受託者は配偶者か子ども、または兄弟になることが多いでしょう。最も信頼している人に託すことが基本ですが、年齢的なことからすると、配偶者より子ども世代（子ども、おい・めい）に託す方が安心です。財産を託された人が先に亡くなってしまったり、病気になったり、判断ができなくなったりしてしまうと、家族信託が機能しなくなり、目的を達せられなくなるからです。また、受託者は、最終的に財産を取得させたい方にすることも実務上は多いです。つまり、受益者が元気でいる間は、ずっと受託者に財産を管理してもらうが、信託終了時には、信託の残余財産はあなたの財産になりますよという一つのメッセージになります。

また、受託者は、自分よりも下の世代の方が好ましいといっても、実際は配偶者や兄弟に受託者になってもらうことも多いです。そんなときは、受託者に万が一のことがあっても良いように、第二受託者を定めておくと良いでしょう。第二受託者は、最初の受託者が亡くなったり判断能力がなくなってしまった時に、最初の受託者を引き継ぎます。

別の観点から受託者を捉えると、契約に立ち会ったり、受益者のために判断できる人であり、親身になって動ける方、愛情深い方、専門的知識を他人に聞ける環境にある方が向いていると感じます。またそれでも、忙しすぎる方や日頃海外に住んでいる方などは環境的に難しいと感じます。受託者の業務が多く、疲れてしまうような場合、きちんと受託者としての信託報酬をもらえるよう契約書に定めることをお勧めします。

一般社団法人を受託者にする方法とメリット

また､時には､受託者を一般社団法人にすることもあります。このメリットは、法人であるため一個人の死亡に左右されず、運営を維持できる点にあります。

どこかの一般社団法人に託す訳ではなく、家族で一般社団法人を設立して、その法人を受託者にして、信託財産を管理していく方法です。

Check

受託者が高齢になる場合や受託者が子ども世代でも万が一に備え、第二受託者を定めておくことをおすすめします。

Question

89

認知症対策に家族信託を利用するにはどうすればよいですか

73 歳の夫と 2 人暮らしです。夫に少し物忘れがでてきました。生活費は全て夫の預金で生活しており、夫の預金が引き出せなくなったら、私自身には預金が少ないため生活が難しくなります。夫が老人ホームに入る時には、住んでいる土地と建物（夫名義）を売却して、その入所費用に充てたいと考えています。何か方法はありますでしょうか。

A
Answer

夫が妻に不動産と現金を託して、将来の生活に備える家族信託になると考えられます。

認知症対策への家族信託

認知症になってしまうと、判断能力が低下して、自分では不動産が売却できなかったり、また預金も銀行で引き出せないという事態が起こり得ます。そこで、家族信託を利用するという対処方法があります。

質問のケースでは、委託者・受益者が夫、受託者が妻、夫の預金のうちの一部と実家の土地・建物が信託財産となるでしょう。

不動産の売却時に、実際に手続きを行うのは受託者である妻になります。信託財産の預金を管理するのも、受託者である妻になります。これにより、いざという事態に備えることができます。

以下、家族信託の契約案です。

■委託者：夫

■受託者：妻

■受益者：夫

■信託財産：預金の一部、土地・建物

受託者が高齢の場合は第二受託者も

不動産を売却できる権限の他に、信託財産についてどういう権限を受託者に与えるかなどは、契約で自由に決めることができます。

ただ、相談者である妻も高齢の場合は、万が一の時のために、第二受託者を定めるべきでしょう。

実際に夫が老人ホームに入るときには、受託者である妻が不動産を売却した代金を、信託口座に振り込んでもらい、そのお金を夫の老人ホームの入所費用に充てることも可能になります。

また、妻も今までの生活と同じように信託された夫の現金をもとに生活していくことが可能になります。

Check

認知症対策として、家族信託を利用する場合も、通常の信託契約と同様、委託者と受託者との間で信託契約を締結します。

信託契約は、必ず公証役場で作成しなければいけないわけではありませんが、委託者・受託者の意思能力・判断能力を公証人の先生に確認してもらい、万全の家族信託にする意味でも、公証役場で作成することをお勧めします。

Question
90
家族信託で不動産の共有状態を解消できますか

財産を４人の子どもに平等に相続させたいと思っています。しかし、財産は木造のアパート１棟が大部分で、他は預金です。アパートの賃料収入を子ども４人に分けてあげたいが、不動産の共有はよくないと聞きました。４人の子どもも環境がそれぞれであり、今後兄弟間でもめる可能性もあるので悩んでいます。

家族信託を利用し、不動産の共有を解消するのも一つの手です。受託者を誰にするかというところがポイントになります。

不動産を共有名義でもってしまうと、管理運用上あまりよくないと聞いたことがあると思います。売却時や修繕時など、共有者の意見がまとまらなかったり、足並みが揃わないと何もできずに、不動産の価値を著しく落としてしまったという話もよく耳にします。そこで家族信託を利用するのも一つの手でしょう。

質問のケースの場合

家族信託を利用する際は受託者の選び方がポイントです。質問のケースでは、子どもの中でも、不動産管理の知識があったり、相談者の４人の子どもに平等に相続させたいという想いを確実に執行してくれそうな方を選ぶことがポイントです。

また、場合によっては、家族で一般社団法人を設立し、この一般社団法人で信託財産を管理していく方法をとってもよいと思います。

以下は、家族信託の契約案です。

■委託者：父
■受託者：４人の子どものうち、不動産の管理がしっかりできそうな１人
■受益者：①父　②父の死亡後は、子ども４人が1/4ずつ取得する。
■信託財産：木造アパート１棟＋アパート管理に必要な金銭

受託者を子どもの１人にする場合、その１人の判断で、契約により木造アパートを修繕したり、売却もできるようになるために、他の３人の子どもにも説明しておくことが肝心です。あくまで受託者は、受益者父のために管理し、父が死亡したときは、子ども４人が平等に賃料収入を得られるようにするための家族信託であることを、他の３人の子どもにも事前に説明し理解してもらうことで、万全の家族信託とすることができます。

Check

共有状態解消の信託の場合、受託者を特定の１人にするか、一般社団法人を設立し法人を受託者とするか、検討の余地があります。

Question

91

家族信託で子どもの教育費を支払ってもよいか

私（50歳）は、62歳夫と17歳長女・15歳長男と4人で暮らしています。夫に物忘れがでてきており、生活費・教育費は夫の預金を頼りに今まで生活してきたため、夫のお金が銀行から引き出せなくなったりすると、2人の子どもも先が長いので、不安です。

2人とも大学には必ず行かせるつもりで、長男は優秀で今から医師に憧れがあり、その希望を叶えさせてあげたいとも思っています。

家族信託の存在を知り、委託者を夫、受託者を私とした時に、受益者は夫のほか、教育費を受け取る長女、長男にしなければならないのでしょうか。またその場合は、贈与税もかかりそうで不安です。何かいい方法はありますでしょうか。

A Answer

受益者が夫だけでも、扶養義務に基づく給付として、信託契約を定めることで、受託者は受益者以外の長男・長女の教育費も支払うことができます。

以下は、家族信託の契約案です。

■委託者：夫

■受託者：相談者　　⇒　第二受託者：親族

■受益者：夫

■信託財産：生活費・教育費

扶養義務に基づく給付

扶養義務は、夫婦間、親子間、直系血族間、兄弟姉妹間に認められ、生活費や教育費として必要な都度直接充てるものに限られます。信託の目的として、「受益者又はその扶養家族」の生活・教育のために、信託を組成・契約することで、これを実現することができます。

信託口口座の開設・金銭の追加信託

預金を信託する場合は、受託者は、金融機関で「信託口口座」を開設する等の方法により、信託財産である現金を管理します。「信託口口座」は、開設できる金融機関が限られますので、事前に確認することをお勧めします。

また、上記事例で、長男が医学部進学により予想より大きな預金が必要になり、当初信託した預金だけでは賄えなくなった場合でも、信託契約に金銭の追加信託ができる条項を入れておくことで、再度夫から相談者の「信託口口座」に入金を行い、その追加した金銭を信託の目的のために使うことができます。

Check

家族の生活費・子どもの教育資金を確保するための信託も使いやすく、有効です。また、最初に信託した現金で足りなくなっても、現金を追加入金することもできます。

Question

92

決まった時期に孫にお金をあげたい

かわいい孫に、大学入学時と就職時と結婚の３回、お祝い金として400万円ずつを渡したいと思います。今すぐ渡してもいいという気持ちでいますが、使われてしまっては困ります。何かいい方法はありますか。

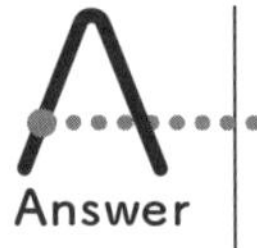

家族信託を利用して、決まった時期にお金を贈与することができます。

質問のケースで希望する贈与を実現するための方法には、いくつかの方法があります。信託銀行へ依頼したり、生命保険信託を利用しても、決まった時期に孫へお金がわたるようにすることは達成できるでしょう。

また、ご自身で贈与する方法もありますが、この家族信託を利用する方法は、贈与する方自身が認知症になったり亡くなっても、達成できるところに大きなメリットがあります。

事例の場合、相談者の子（孫の親）を受託者にして、信託契約を組成することが考えられます。受益者は始めのうちは相談者で設定し、「受益者変更権者」を信託契約で定め、必要な時期に「受益者変更」を行うことで信託された現金の受益権を順次、相談者からその孫に移します。受益者の変更は、実務上贈与と同じ扱いになりますので、原則どおり、みなし贈与税はかかります。また、税務署から指摘をうけないためにも、きちんと財産の移転に関する契約書を整えておきましょう。

一方、信託契約としては、受託者である孫の親がお金を使ってしまわないよう、信託監督人を定めることをお勧めします。

以下、家族信託の契約案です。

■委託者：相談者

■受託者：相談者の子（孫の親） ← 信託監督人

■受益者：相談者

⇒「受益者変更権者」を別に定め、相談者および孫、孫に変更していく。

■帰属権利者：B

■信託財産：400 万円× 3

Check

家族信託を利用することにより、A が認知症等になってしまっても贈与と同じ効果が実行できる。ただし、「受益者変更権」の行使の際には書類も整える必要があるので、税理士や家族信託に精通した専門家とともに取り組むことをお勧めします。

Question
93
長男の妻に財産がわたらないようにする方法はありますか

先祖代々受け継いできた広大な土地と賃貸不動産を持っています。私の死後は、妻、その後長男に引き継いでもらいたいのですが、長男に財産を遺すと子どもがいないため、最終的には長男の妻に土地がわたってしまいます。もともと、長男の妻をあまり好きではなく、次男や次男の子どもにも残してあげたいのですが、何か良い方法はないでしょうか。

A
Answer

家族信託を利用し、受益者連続型の信託を組むことで、解決できます。

財産の次の次の承継先まで決められる

遺言では、自分が亡くなったら財産を誰に承継させるかを特定できますが、その先は決められません。一方、家族信託では、受益者を連続させることができます。

信託財産につき、最初の受益者が亡くなったら、2次受益者が受益権を取得し、2次受益者が亡くなったら、3次受益者と定めることもできます。これにより、信託財産の受益権を妻から長男、長男から次男と承継させることが可能になります。

ただし、信託設定時から30年が経過した後は、新たな承継は1度しかできないという30年ルールというものが存在します。

30年ルールはあるものの、受益者連続信託という形で、想いをつないでいけます。上記事例もその1例です。受益者連続信託を組む場合は、法務面・税務面につき家族信託に精通している専門家に必ず相談することをお勧めします。

以下、家族信託の契約案です。

■委託者：本人

■受託者：次男

■受益者：①本人　②本人の死亡後は、妻　③妻死亡後は、長男

■帰属権利者：長男の死亡後は信託終了とし、次男（次男が死亡している時は次男の子）が信託財産を承継するよう指定します。

■信託財産：先祖代々引き継いできた土地・建物＋不動産管理に必要な金銭

この方法により、先祖代々受け継いできた不動産を長男の妻にわたさずに直系の親族へ引き継いでいくことが可能になります。

Check

遺言で達成するには、相続した長男が自分の意思で遺言を書き、次男に遺贈する旨を書けば達成できますが、長男次第になってしまうことと、状況的にも遺言を書くことが難しいことが考えられます。受託者は、最終的に財産を引き継ぐ次男が相応しいかと思います。

信託を活用した時の遺留分については、明確な答えが出ておりませんが、今の段階では、遺留分侵害額を補填できるよう確保しておいた方が無難であるといえます。

Question

94

事業承継対策に家族信託が有効だと聞いたのですが

30年経営してきた会社を長男に事業承継させたいです。3年前から手伝ってもらっていますが、まだ全てを任せるには、経験値が足りないと考えています。また、会社の株式全てを長男に渡すと、贈与税が高額になってしまいます。とはいえ、私も63歳となり、身体の不調も出てきて病院へ通院する日も増えてきました。万が一の場合でも、会社の運営が止まらないように準備をしたいので、アドバイスをください。

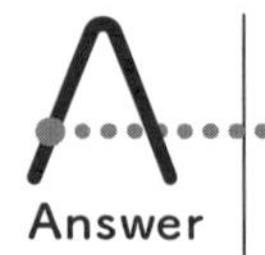

Answer

会社の自社株の承継についても、家族信託を利用することができます。

事業承継対策の家族信託

預金を信託することと同じように、会社の株式を後継者に託します。通常は、預金についても株式についても、何かの財産を誰かに移転する時には、贈与税や譲渡所得税といった税金がつきまといます。そのために、株式を後継者に移転させる時には、そのための資金対策を講じたり、株式の評価が不相当に高くなってしまわないように対策を講じたりします。

信託時はどうなるのかと申し上げますと、委託者＝受益者で信託契約を結ぶ限りにおいて、契約時にはこの贈与税の問題は生じません。受益者が自分のために、ただ管理を受託者に任せているだけだからです。

株式の受託者は後継者にすることで、株式の議決権は後継者である受託者が持ち、株主総会で議決することができます。そして、その株式から得られる利益（受益権）は変わらず、受益者を現社長にすることで、受益権を得られる仕組みです。

質問のケースの場合

以下、家族信託の契約案です

■委託者：相談者

■受託者：長男　　←　　指図権：相談者（監督します）

■受益者：相談者

■信託終了時の帰属権利者：長男

■信託財産：自社株、会社運営に必要な現金、不動産

相談者の株式を長男に贈与税がかからず、議決権を移せることにメリットがあります。これにより相談者が万が一の時でも会社がストップせず、仮に相談者が亡くなり相続人で揉めてしまったとしても、事前に家族信託をしておくことで、会社の運営はストップさせずに運営できます。

長男が議決権を持つことが心配な相談者としては、議決権の行使方法を指図できる「指図権」という権利を相談者に持たせることもできます。これにより、相談者が元気な間は、指図権により相談者が経営権を行使することができ、相談者が認知症等で判断能力が衰えてきたときは、原則通り長男が株式の議決権を行使し会社を運営することが可能になります。

Check

事業承継と家族信託も様々な方法があります。

自社株の評価が低い時に、先にオーナーから後継者へ自社株を贈与を行い、その後後継者がオーナーへ自社株を逆に信託する場合もあります。この方法は、オーナーがまだ現役で頑張りたいが、財産権は先に後継者へ移転させておきたい場合に有効な方法です。

Question

95

ペットのために財産を遺すことはできますか

夫婦２人と愛犬で暮らしています。私たちに万が一のことがあっても、愛犬が困らないように飼育者とかかる費用を万全にしておきたいです。

ペットのために信託を活用することも可能です。

ペットのための信託契約

ペットと暮らす方にとっては、万が一の場合のペットの面倒は心配事の一つでしょう。

自分が亡くなったり、病院へ入院したりすることがあっても、ペットが困らないように、あらかじめ飼育をしてくれる人や金銭を決めておくことが信託によって可能になります。

質問のケースの場合

信託契約の内容

■委託者：夫

■受託者：①妻　→　②妻の死亡や判断能力がなくなったら、第二受託者として、親族

■受益者：①夫　②夫死亡後は、妻。

■飼育者：妻　　→　②妻の死亡後は老犬ホーム

■信託財産：金銭・自宅不動産

愛犬が困らないように信託契約を締結する必要があります。

夫婦が亡くなった後も、愛犬がしっかり生活できるよう、受託者の役割を引き継ぐ第二受託者として親族を決めておくべきでしょう。

受託者はペットに関する費用の支払い等を担当するほか、ペットのための信託の場合は実際に飼育する飼育者の設定も重要となります。

この場合、夫婦ともに亡くなってしまった場合、老犬ホームでペットは飼育してもらい、そのための費用は、あらかじめ定めた第二受託者の親族が支払うという信託になっています。

Check

今まで、ペットの対策としては負担付遺贈がありました。しかし、負担付遺贈は、死後に効力が発生するため、飼主が入院したり認知症になった場合はカバーできません。

信託を組むことで、あらゆる場面でも、また自分の死後も、ペットが生活に困らないよう備えることができます。

Question

96

障害を持つ子どもの将来のサポートについて教えてください

知的障害をもつ長男がいます。母である私に万が一のことがあった時、長男の面倒を誰が見てくれるのか不安です。夫は既に亡くなっています。子どもは長男のほか、長女がいます。長女は結婚し、子どもが1人いますが、将来的には、長男の面倒をみてくれると言ってくれています。ただ、家庭もあるので、早くから面倒をかけさせたくありません。経済的には夫が遺してくれた賃貸不動産から毎月の収入があり、これを長男のために使いたいと思っています。

Answer

預金や賃貸不動産等を信託して、障害を持つ子が困らないようにサポートすることができます。

「親なき後問題」

障害をもつお子様が、親が先に亡くなった後に平穏無事に生活できるかどうかは、親の最大の関心事であり、願いでもあります。この「親なき後問題」は、子どもがどこで生活するか、またどのような介護サービスを受けていくか、成年後見人を誰にお願いするか、財産の承継や管理をどのようにするか等考えることはたくさんあります。

財産の承継・管理方法として家族信託を利用する場合、適切な受託者が必要になります。また、信託財産の承継・管理については、家族信託でサポートし、知的障害や精神障害をもつお子様の場合、代わりに契約などの法律行為を行うのは成年後見人等になり、後見制度でサポートすることになります。

家族信託の受託者は、障害をもつ子に兄弟がいれば兄弟又は近い親族の方にお願いするのが理想です。この場合の信託契約の受益者は、親が生前の間は①親が、②親が亡くなった後は子どもに、③子どもが亡くなった後は、財産管理をしてくれた受託者（兄弟等）に財産を承継していくことなども可能になります。親が遺言を遺すと、子どもに財産を承継することはできますが、子が遺言を書けない場合、その後の財産の承継は難しくなります。しかし、家族信託を使うことで、受益者を連続させる方法により、財産を承継していくことが可能になります。また、子が一人っ子の場合、最終的には子が亡くなった時に、子の相続人がいない場合、財産は国庫へ帰属してしまいますが、家族信託を利用することで、お世話になる親族の方に財産を承継することができ、国庫への帰属を防ぐことができます。

質問のケースの場合

以下、家族信託の契約案です。

■委託者：相談者

■受託者：長女

■受益者：①相談者　②相談者死亡後は、長男

■信託終了時の帰属権利者：長女

■信託財産：賃貸不動産、賃貸管理に必要な現金

長男の今後の生活を守るとともに、相談者が病気や判断能力を亡くしてしまった時でも、受託者に長女を選んでおくことで、相談者自身の生活を守ることもできます。

相談者が亡くなった後は、障害をもつ長男のために、長女が不動産を管

理することになりそこで得られる収入（受益権）を長男の生活のために使うことができます。

その後、長男が亡くなってしまった時には、最終的な帰属権利者を長女とすることで、最終的には長女が不動産などの信託財産を取得することができます。

この信託をすることで、早くから長女に不動産管理の部分では任せることになりますが、長男の面倒は、相談者が重点的にみることができ、また、長女にも将来のことを話すきっかけを与えるとともに、長男をサポートする覚悟と心の準備ができます。

☛ Check

相談者の死後、長男の法律行為を行うのは成年後見人等になりますが、家族信託と後見制度を併用することで、長男のサポート体制を万全にしていく準備ができるといえます。

Question

97

家族信託が始まった際のアドバイスをください

信託契約書を公証役場で作成しました。契約書作成時には、専門家にアドバイスをもらったのですが、いざ始まった際のアドバイスをどなたかに受けることはできるのでしょうか。

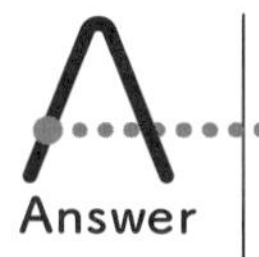

悩みを相談したり、せっかく結んだ信託契約をしっかりと活用できるように「信託監督人」を定めることができます。

信託監督人

委託者、受託者、受益者が家族で決まり、このまま家族信託をスタートという際も、「どうすればいいんだろう」という悩みが受託者には出てくるものです。

誰かに報告しなくてよいのか？裁判所には報告しなくてよいのか？などです。ちなみに、裁判所への報告は不要です。

また、受益者の判断能力がいよいよ無くなってきて、どのように管理した方がよいのかという悩みもでてきます。

こんな悩みを相談したり、せっかく結んだ信託契約をちゃんと活用できるように「信託監督人」を定めることができます。信託監督人を置くかは任意ですが、家族信託に精通した人物を選んで、アドバイスをもらうことができるので安心でしょう。

受託者は、大切な財産を預かるので、「善管注意義務」（自分の財産よりも高い注意を払って管理する義務）や「分別管理義務」（信託財産と受託者個人の財産を分別して管理しなくてはならない）や帳簿の作成・保管をする義務もあります。

一方で、権利としては、受託者の報酬を定めることもできます。受託者は家族だからといって、必ずしも無償である必要はありません。

こういった受託者の権利や義務について、また信託運営上悩んだ時に、信託監督人に相談する、また信託監督人は信託が機能しているかを監督することで、より万全な信託の運営が可能になります。

☛ Check

信託監督人を置くかどうかは任意ですが、せっかく結んだ信託契約を機能させるため、専門家に信託監督人になってもらい、信託運営を相談するのもよいでしょう。

Question

98

家族信託をした後の相続について教えてください

家族信託をした後に、委託者兼受益者が亡くなりました。最終的には、どのように相続人に引き継がれるのでしょうか？

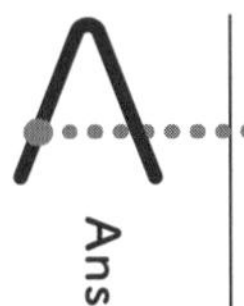

信託契約は、最初の受益者が死亡したことによって、信託を終了させるという信託契約もあれば、受益者を連続させて信託契約自体終了しない場合もあります。

これによって、財産がどのように承継されるか異なります。また、信託していない財産は、民法の原則に従います。

こうしたことは気になるところでしょうし、最も重要なところになります。基本的には、以下のように承継されます。

⑴　信託契約により信託した財産

信託契約で定めた方法で承継します。

委託者＝受益者において、この最初の受益者が死亡により終了する信託契約の場合は、契約の中の「帰属権利者」として定める方が、信託財産を取得します。

⑵　信託していない財産

民法の一般的な規定に従います。そのため、遺言があれば、遺言のとおりに承継され、遺言がなければ相続人全員の遺産分割協議により相続人に承継されます。

信託した財産が遺言にも記載されていた場合、信託契約が優先されます。

受益者が連続する信託の場合は、信託契約に記載された通りに、信託財産の受益者が変わっていき、最終的に信託が終了する時に、残余財産の「帰属権利者」として契約書で定めた方が承継します。これにより、長男の妻には遺したくない事例もご紹介しましたが、受益者連続信託を利用し、委託者の意思を反映させていくことが可能になります。

Check

まず、相続が起こった時には、何が信託財産で何が信託財産でないかを分けて考える必要があります。

Question
99
他の家族の同意なしに家族信託はできますか

相続でのトラブルを回避したいと思っていますが、他の家族との相談はできていません。他の家族の同意なしに家族信託はできるのでしょうか。

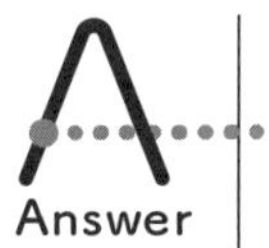

他の相続人の方に家族信託を結ぶことを伝えなくても、契約自体は成り立ちます。ただし、家族間での話し合いをおすすめします。

契約自体は成り立つ

家族信託は、信託契約を委託者と受託者との間で結ぶ契約になりますので、形式的には、ほかの家族の同意がなくても成り立ちます。よって他の相続人の方に家族信託を結ぶことを伝えなくても、契約自体は成り立ちます。

家族信託の組成には相続人の同意を

ただし､家族信託をやろうと思ったきっかけは何でしょうか。おそらく、相続の時に残された相続人の間でもめないようにとか、円満な財産承継のためであったり、自分が認知症になっても家族に迷惑がかからないようになどの理由で家族信託をする方がほとんどではないでしょうか。そんな目的で作成する家族信託にも関わらず、逆に相続の時に、他の相続人が家族信託を知らなかったと揉めるきっかけとなってしまっては意味がありません。

そのため、家族信託の組成には、相続人になる方の同意を強くおすすめします。

心の準備で円満な財産承継

自分が亡くなった後の話、財産の承継の話は、なかなか親世代の方も子ども世代の方も話しづらく、後回しにしてしまうことが大半です。事業をやっている方であれば、社長はまだ自分は現役で頑張れると思う方が大半です。でもいざという時のために、準備をしておかないと大変なことになります。家族信託を検討していく中で、自分のこの財産は誰に承継したいと委託者は考え、またその内容を残される相続人も知ることで、どちらにとっても心の準備ができ、円満に財産を承継することができるのです。

Check

遺言を作成する時に事前に家族会議をやったほうが良いと言われることと共通するかもしれません。家族信託ではそんな機会が自然に作れ、委託者の想いを家族が感じ取れる場があるということが、実務上とても重要だと感じます。

Question
100
家族信託と税金について知りたい

家族信託に関心があるのですが、税金関係はどうなるのでしょうか。受益者を配偶者や子にすれば、勝手にどんどん贈与できてしまうのでしょうか。

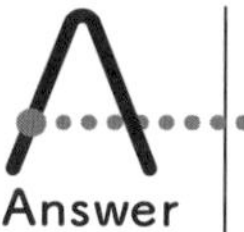

税金はそんなに甘くはありません。しかし一方で、家族信託をしたからと言って、何か不利になるわけでもありません。信託設定時、委託者と受益者が同一か否かにより、税金がかかるかは決まります。

家族信託の税金は受益者課税

家族信託における税金については、「受益者課税」と覚えてください。財産を拠出する委託者と利益を得る受益者の関係を見ることになります。

事例別：課税関係

(1) 委託者が父、受託者が長男、受益者が父の場合

父が自分の財産を自分のために、受託者長男に託すだけの話のため、課税関係は生じません。よって、贈与税などの問題は生じません。

(2) 委託者が父、受託者が長男、受益者が母

父が自分の財産を母（第三者）のために、受託者長男に託すため、こちらは、贈与税の対象になります。受益者が父でなく母(第三者)だからです。

よって、最初は、委託者＝受益者で信託を組成することが、実務上では多いです。

⑶　委託者が父、受託者が長男、受益者が父だが、父が死亡し信託終了

父の死亡により、信託終了となり、信託財産は帰属権利者の長男が取得することになった場合は、通常の相続と同様、相続税で処理することになります。

信託財産の他に、父固有のあらゆる財産を合計し、相続税がかかる範囲を超えれば、通常通り相続税での処理になります。よって、信託した現金や不動産の評価も通常の相続同様の評価で算定されるため、通常の相続の時と同じように処理されます。

小規模宅地の特例等も通常の相続と同じように使えます。ただ、税金については、家族信託を行う時に、家族信託に精通した税理士に確認することをお勧めします。

その他の税金

⑴　登録免許税

信託財産に不動産がある場合は、不動産の所有権は受託者の名義に変更が必要になるため、その印紙代がかかります（2021年6月現在、土地は固定資産評価の約0.3%・建物は固定資産評価の約0.4%）。

⑵　固定資産税

その年の1月1日時点の所有者に課税通知書が届きますが、信託によって不動産の所有名義人が受託者になるため、以後、受託者が信託財産の中から支払うことになります。

⑶　所得税

賃貸不動産を信託した時の賃料収入は、受益者の収入として課税の対象になります。

Check

基本的には、財産を拠出する委託者と受益者の関係により、信託契約における税金は決まります。

著者プロフィール（五十音順）

徐　瑛義（そう・よんい）　税理士・行政書士

セブンセンスグループ代表。1999年駒澤大学卒業後、同大学大学院および中央大学法科大学院にて学ぶ。埼玉県内税理士事務所、都内公認会計士事務所への勤務を経て、2008年に税理士法人東京税経センター（現セブンセンス税理士法人）を設立。外資系企業に対する税務・会計コンサルティング、医科・歯科の経営支援、相続や事業承継などの案件に多くの実績を持つ。『新決算書の見方に強くなる本』（金融ブックス）など著書多数。

早川　和孝（はやかわ・かずたか）　弁護士

横浜仲通り法律事務所共同パートナー。1997年東北大学卒業、司法研修所を経て2001年弁護士登録。都内および横浜市内の法律事務所での勤務を経て、2009年に横浜仲通り法律事務所を設立。企業の破産・民事再生などの倒産処理、損害保険実務、中小企業法務を中心に多数の事案を手掛ける。著書として『学校事故の法律相談』（青林書院・共著）などがある。

矢部　祥太郎（やべ・しょうたろう）　司法書士

イーグル司法書士事務所代表。2004年立教大学卒業後、森永乳業株式会社入社。身近な法律家になりたいという想いから、資格取得後、都内司法書士事務所勤務を経て、2011年イーグル司法書士事務所開業。不動産や法人の登記業務を扱うほか、相続・家族信託にも力を入れており、親身な対応かつ分かりやすい説明には定評がある。

Q&A みんなが知りたい100のこと
相続・遺言・成年後見・家族信託

2021年8月2日　初版第一刷発行

著　　者　徐　瑛義
　　　　　早川 和孝
　　　　　矢部 祥太郎
発 行 者　市村 祐記

発 行 所　金融ブックス株式会社
　　　　　東京都千代田区外神田6-16-1
　　　　　Tel. 03-5807-8771　Fax. 03-5807-3555

編　　集　三坂輝プロダクション
デザイン　有限会社クリエイティブ・ヴァン
印刷・製本　新灯印刷株式会社

●無断複製複写を禁じます。●乱丁・落丁はお取替えいたします。
●定価はカバーに表示してあります。

©2021 Youngeui Seu, Kazutaka Hayakawa, Shotaro Yabe
ISBN978-4-904192-91-7 C0032　Printed in Japan